PRAY ORIGIN

프레이 오리진

나이트런 프레이 오리진 | 4

2022년 4월 14일 초판 1쇄 발행

원 작 김성민
편 집 이열치매, 최지혜
마케팅 이수빈

펴낸이 원종우
펴낸곳 블루픽
주소 경기도 과천시 뒷골로 26, 2층
전화 02 6447 9000
팩스 02 6447 9009
메일 edit01@imageframe.kr
웹 http://imageframe.kr

ISBN 979-11-6769-086-9 07810
979-11-6769-066-1 (세트)
정가 14,800원

CONTENTS

Knight Run

part 31

선율?

그래 선율.
네 의식 속 음정의 흐름.
그것만 흔들리지 않으면 돼.

이 선율은 어느샌가 마음속에서
떨어져 나와 무질서를 만들지.

심장은 뜨겁게.
머리는 차갑게.

전투 능력 자체는 크게 의미가 없어.
전쟁에서 적을 죽이고 살아남아
최후의 승리를 얻으려면
마음… 아니 삶 한가운데 이 선율을
고요하게 유지시켜야 하는 거야.
하나의 소망만을 담아서.

선율을 유지시키면
누구에게도 지지 않아.

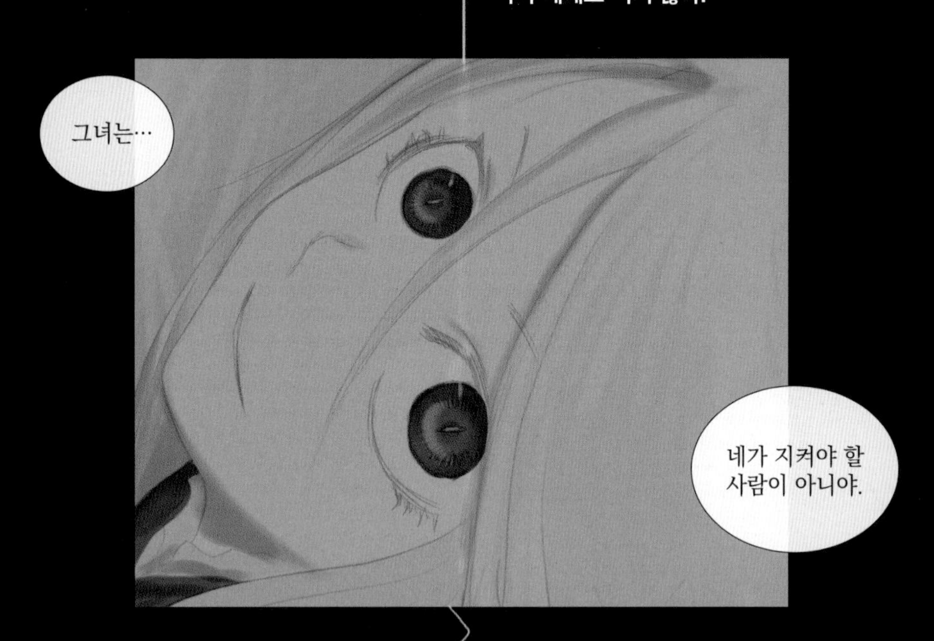

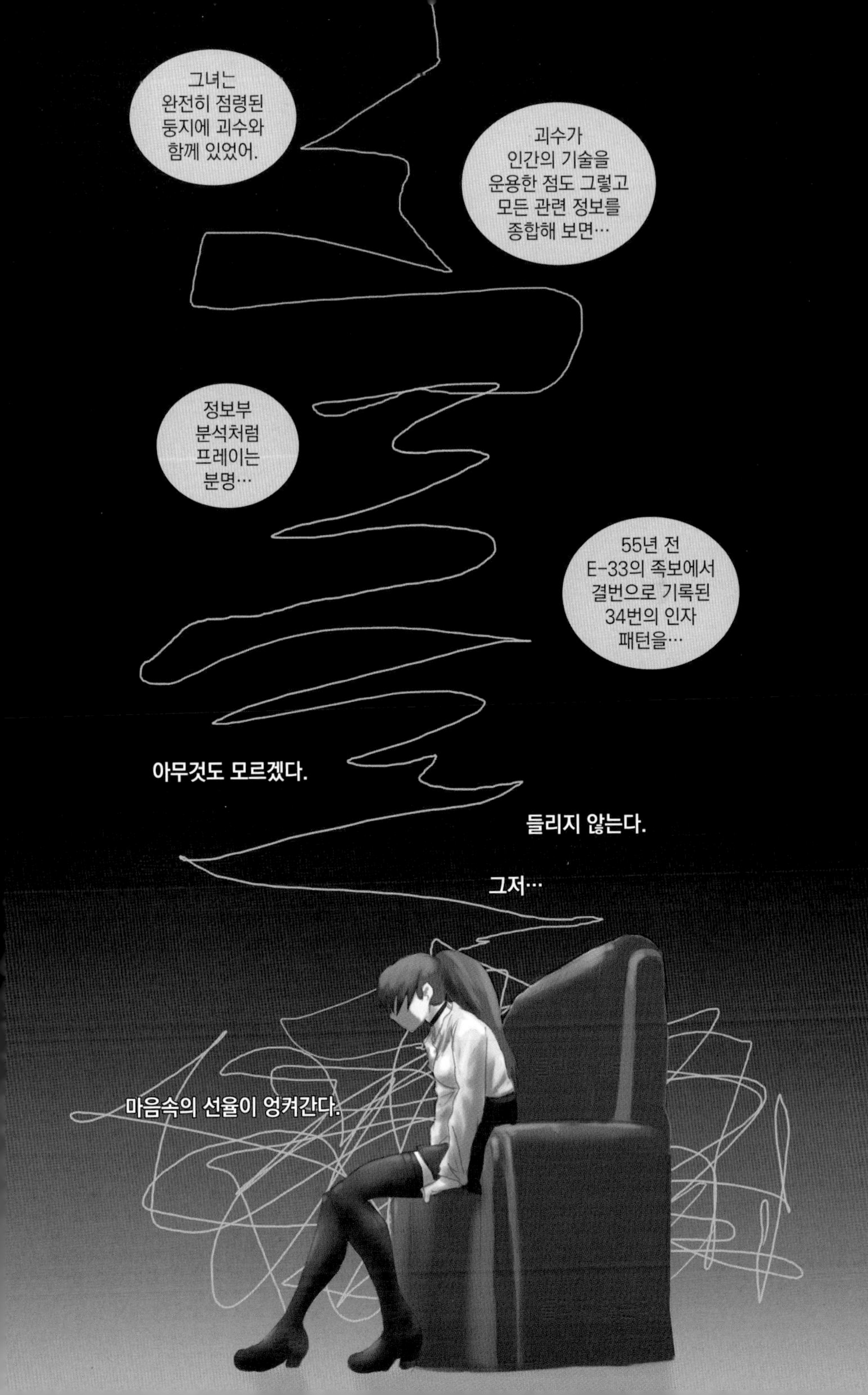
그녀는
완전히 점령된
둥지에 괴수와
함께 있었어.
괴수가
인간의 기술을
운용한 점도 그렇고
모든 관련 정보를
종합해 보면…
정보부
분석처럼
프레이는
분명…
55년 전
E-33의 족보에서
결번으로 기록된
34번의 인자
패턴을…
아무것도 모르겠다.
들리지 않는다.
그저…
마음속의 선율이 엉켜간다.

한 가지 분명한 사실은
그녀가 아린에 있다는 것이다.

그것만으로 해야 할 일 한 가지는 이미 정해졌다.

프레이를 만나러 간다.

그렇게 결심을 하고 나서야 선율은 겨우 흔들림을 멈췄다.

응 피난민 천지야….
나도 나름 중요 인물인데
이제 겨우 수송함에 탔어.
옆에 있던 아줌마는 나만
빠져나간다고 먹던 감자까지
집어 던지더라니까?
그 얘기는 됐다고?
그래 카탈로그
사양은 진짜야…
노심 초소형화에 성공해서
싱글넘버 상위괴수와 동급이고
리미터 해제하면 영식 노심에
맞먹을 수도 있다고.
노심 날아갈까 봐
해 본 적은 없지만.
1~2인 규모의 둥지
잠입 기습전을 상정했어.
상성이 상위괴수로 한정된
기사보다야 1기로도 대규모
양산형 상대가 가능하니까
너에게는 기사 여러 명보다
훨씬 나아.
양산만 성공하면
전술의 새로운 장이
열릴 거야.

…최소 65장은
줘야지.
24개월
할부로 34장.
64장.
34장.
6…63장.
34장.
…어째서 가격이
안 올라가는데?
34장에 더해서
오코넬리전 때
압수한 루인사(社)의
비승인 실험
데이터 전부.
……
콜.
계약
성립이군.
A-10.
?

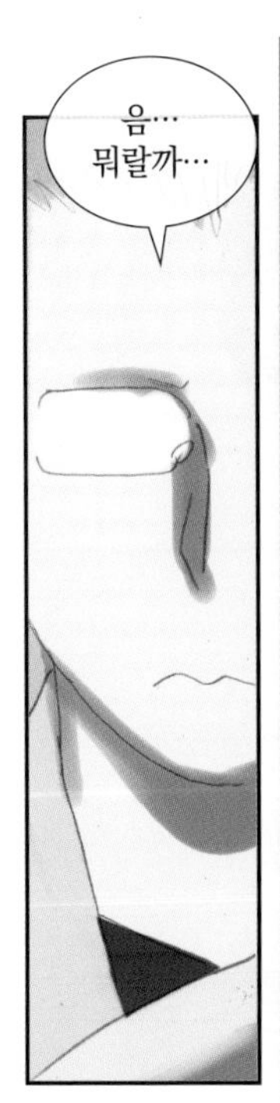

아니 저기…
그분이라면 괜찮다
하긴 했는데 그래도
갑작스럽달까…

아직
마…마음의
준비가…

자식을
돈 받고
팔았어…

강요는
아냐.

선택은
네가 하렴.

갑자기
진지한 척
하지 마…

앤은 강해.
내버려 둬도
안 죽어.
네가
지켜 줘야
하는 건
여기
있는 것.
그녀의 마음.

늘 괴수와 싸우는 기사들이 대인전에 익숙할 리 없죠. 작전 안은 나왔어요.
마음에 안 드시겠지만 AE 65과 소속 반연합군 제압부대 5명… 즉 대인전의 베테랑들입니다.
대령님 쪽도 문제없어요. 기사들 장비는 대괴수용이라 DC코트든 뭐든 기본적으로 전자전이나 해킹을 상정하지는 않잖아요.
5세대 DC코트는 보안 코드 없이 음성으로만 작동하고 CP에 생존 정보 전달을 위한 무선정보공유시스템에는 보안조차 없어요.

대원은 전부 제 부하입니다. 믿으세요.
예. 정보도 문제없어요.
인원 배치나 상황 시 대처 매뉴얼과 이동 경로 모두 입수했습니다.
어떻게요?

기사단 내 비밀 협력자가 있거든요.

후…

…도대체 난 무슨 짓을 하고 있는 건지…

괜찮은 거야?

레오 너도
드라이와
같은 생각일 줄
알았는데…
의외네
꼬맹이.
…

…사실
마음이
복잡해요.

어차피 말려도
소용없으니까.
마음먹은 일은
반드시 해내고 마는
사람이니까요.

…새가
날아가는 걸
막을 수 없다면…

나는 설
돕는 손이라도
되어 주려고요.
그 손을
기억하도록…

그러면
그 손을
잊지 않고
돌아와 줄지도
모르잖아요.

드라이나 너나…
그냥 좋아한다 하고
대시나 해 볼 것이지
참 피곤하게 산다.
내버려
두세요.
뭐 시간
다 됐다.
드라이도
바보는 아니니
대충 눈치챘을 거야.
빨리 움직이자.

가 볼까.

자 그럼

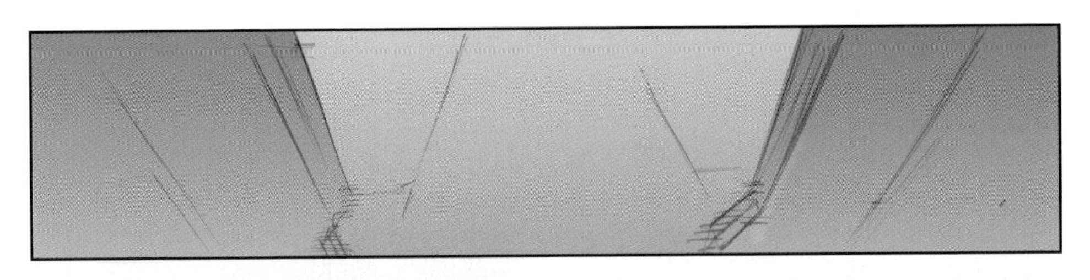

문을 어떻게
여셨는지는
모르겠지만

어디에 가실
생각이시죠?
마이어 씨.

아린에 용무가
있어서 잠시
다녀오려고.
하?

대책회의가
있어서 늦었어.
대응은?

해놨어.
형의 인형놀이에
동참하는 꼴은
웃기지만 내가 좀
착실하잖아.

그래…
그러면
됐어.

나 역시…
선택했으니까.

구성은…?
뭐?
마스터나이트 5명,
일반기사 16명.
형이 말한 것과는
좀 다르지만 여러모로
성가시게 군 병력 배치하느니
그냥 기사로 앤 아줌마를
둘러싸는 게 훨씬
낫지 않겠어?

미안하지만 앤
얌전히 있어 줘.
깡패처럼 우르르 몰려와
이러는 꼴이 우습긴 하지만
네가 뭔 짓을 꾸밀지 모르니
일단 막기는 해야겠어.

…도이.
벨치스전 이후
다 망가진 몸으로
뭘 할 수 있다는
거야?
게다가 아무런
장비도 없이…
그냥 얌전히
방으로 돌아가.

신연합에게
넌 상당히 중요한
존재야.
멋대로
행동하는 건
관두고 이제
철 좀 들었으면
하는데.

part 31. 각자의 사정 |끝|

part 32

넌 왜 안 가고 그러고 있냐?
버넷 당신과 같은 이유일 겁니다.
혼자라면 모를까 이런 집단 린치는 별로예요…

흠 이유는 좀 다른 것 같군.
우리는 앤을 잘 알지 못하지만 도이 같은 똑똑한 녀석이 저렇게 몰려가는 데 동의했어.

일이 꽤 재미있어질 것 같아.
…
너와 달리 난 앤이란 녀석이 좀 흥미롭군.

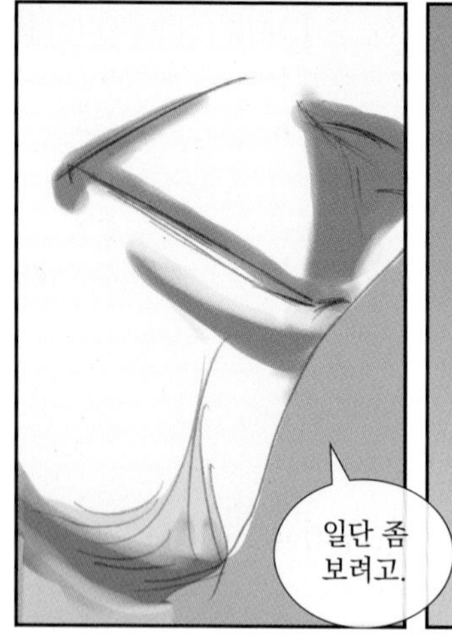
일단 좀 보려고.

어떻게 나올지.

…너…
도이,
그거 알아?

기사의 코트는
어디까지나
괴수를 상대하기
위한 거야.

하지만 상대가
인간이라면 어떨까?
코드 인식.
디펜시브
코팅 해제.

?!
촤아아악-

차라리
장갑차라도 한 대
가지고 오는 게

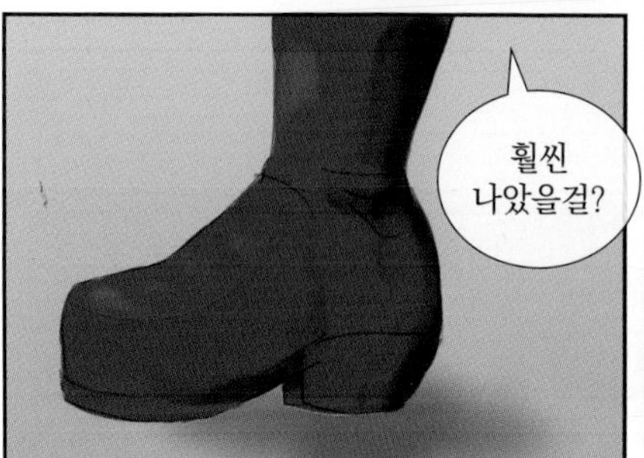
훨씬
나았을걸?

너무
자만하지 마
앤.
기사에게 코트는
단순한 보험일 뿐.
이런다고 달라질 건
하나도 없어.

장난은
여기까지만
하시죠.
당신은
합법적 절차에 따라
이번 전쟁의 중요
참고인으로 구속된
상태입니다.
…장난이 너무
지나치면 더 이상
봐 드릴 수가
없습니다만.
전신의체인가?
방으로
돌아…
비켜.
깡통.

뽑지 마.

!!

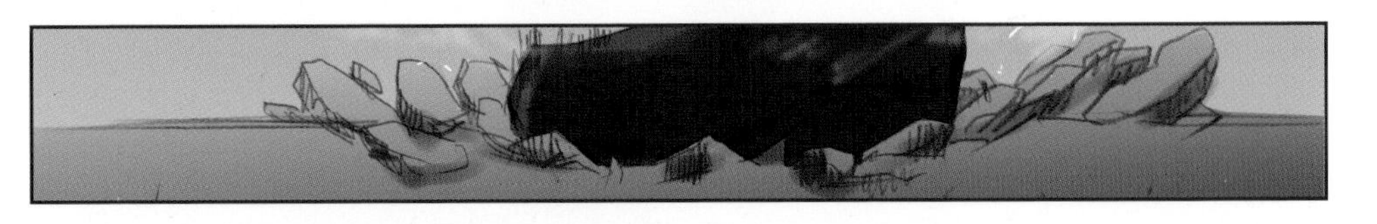

텅

아무리 코트가 없다 해도 전신이 전투용 의체인 네모가 ……

후…

기사뿐이라니… 넌 아무것도 몰라. 그 정도로 그 녀석을 막는 건 무리라고.
적어도 인간을 상대로 백병전이라면 그 녀석은…

일일이 상대하기
귀찮으니까
몽땅 덤벼.

꿈틀

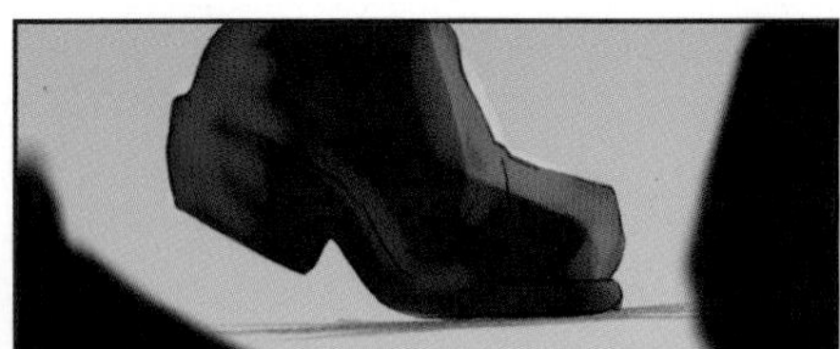

파
앗

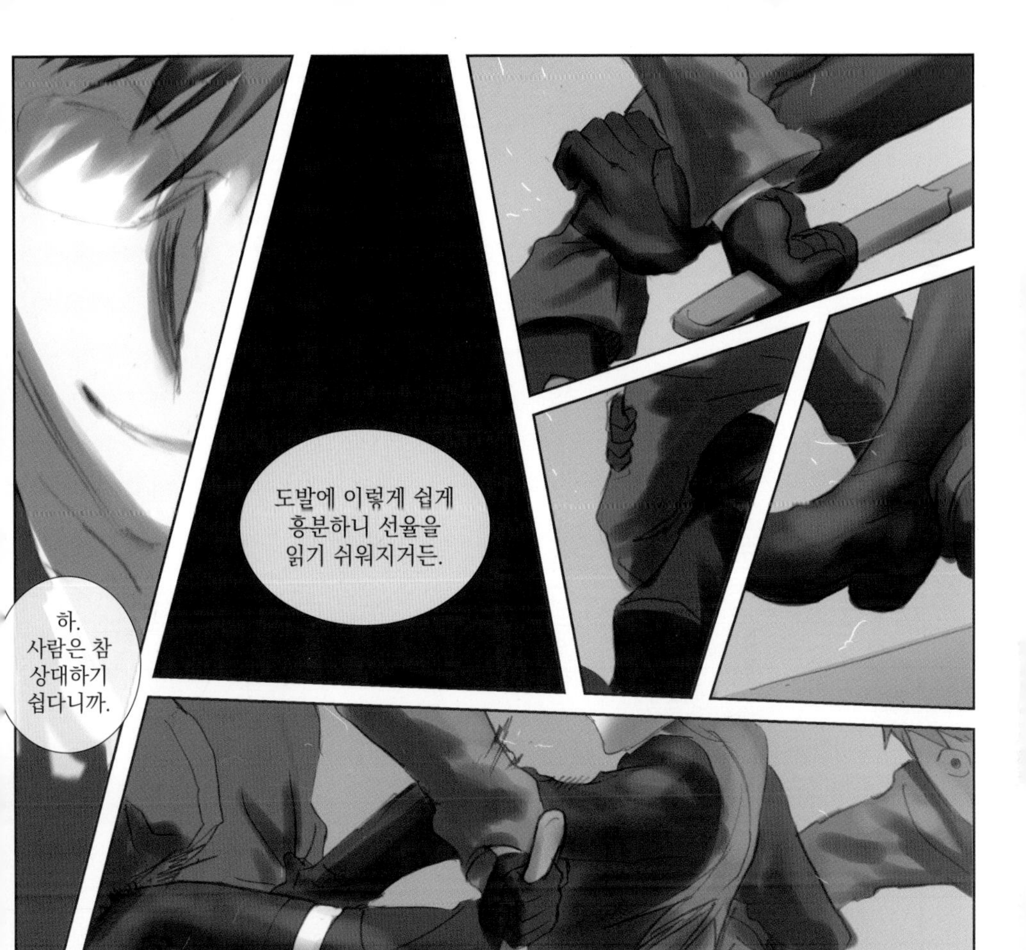
도발에 이렇게 쉽게
흥분하니 선율을
읽기 쉬워지거든.
하.
사람은 참
상대하기
쉽다니까.

콰
앙

뭐야 이거…

간단해서
좋긴 한데…
이쯤에서
비켜 주면
안 될까?

파이.

응.

키
?!

키아아아아

잡았다.
꽉

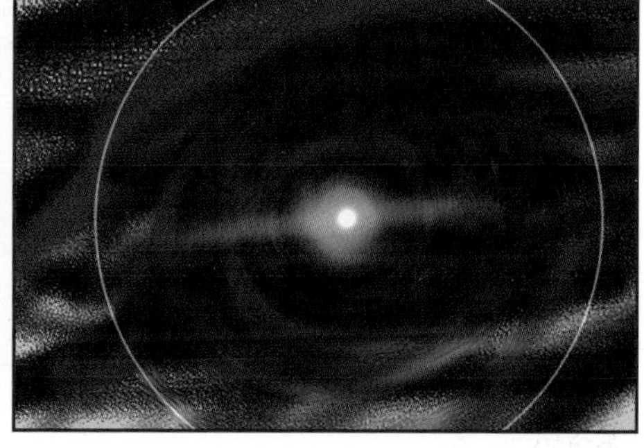

프레이식
Pray式
적파기공
赤波氣攻

펑

미안.
검고 흐물거리는 건
좀 질색이라서
과민반응했네.
위험하니까
비켜 있으렴.

확실히… 감은
많이 안 떨어진
모양이군.
넌 원래
체력이나 힘으로
싸우는 스타일은
아니지.
서론이 길어.
대충 와.

제일 가까운 델타 팀을 이동시켜. 원거리 포격과 저격으로 움직임을 막으면서 계속 체력을 소모시켜야 해. 30분도 안 걸려.
하지만 뭘 하더라도 아무 생각 없이 움직일 녀석이 아니야.
신중하게 움직여야 해.

…내가 직접 간다.
너도 따라와. 다니엘.
정말 그 아줌마가 그렇게까지 대단한 거야?

뭐야 겨우 한 사람에 이 난리를…
살인 때문에 급격히 여론이 악화돼 두 사람의 이야기가 묻혀서 그렇지… 그녀는 네 생각만큼 그렇게 간단한 인물이 아니야.

전후방은
제니와 도이.
하지만 진짜 조심해야
하는 건 키리다.
제일 귀찮은
스피드 타입에
기습이 좋아.
그 전에 먼저
파고들어 처리.
좁은 거리의
싸움엔 약하다.

델타팀,
건물 진입 개시.

앤은 인맥이든 판단력이든 자신의 강점을 모두 활용해 승리를 만드는 일에 매우 탁월해.
그 점은 프레이와 비슷하지.

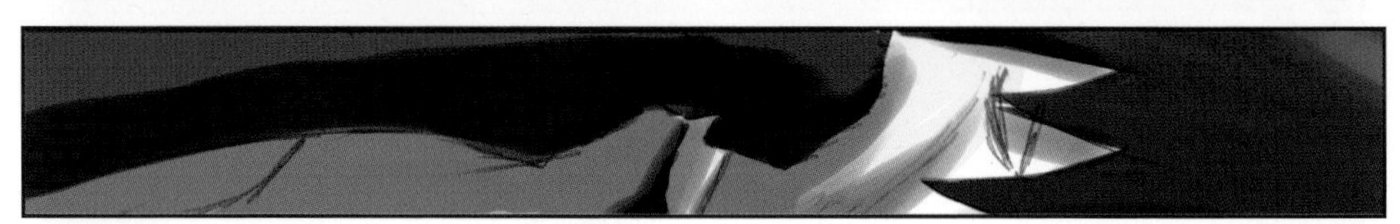

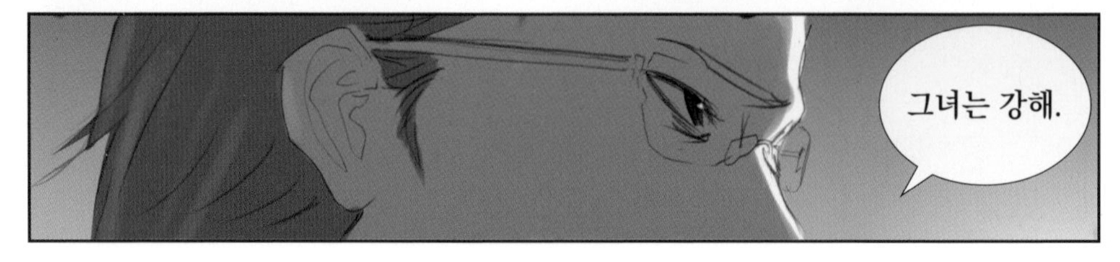
그녀는 강해.

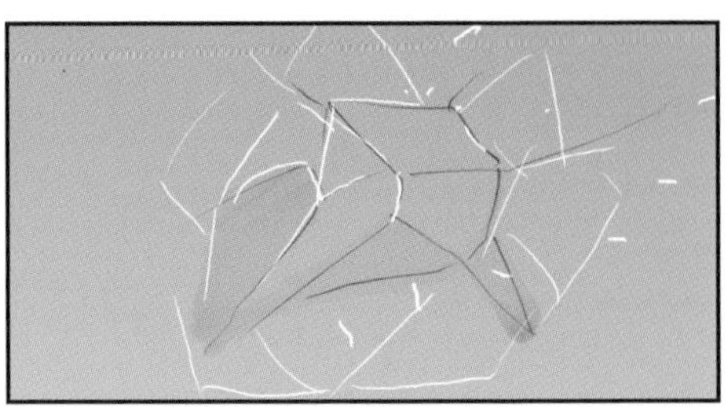

콰
쾅

여기서 더 할
생각은 없겠지?

제길…
아프다 하길래
다 죽어가는 줄
알았더니
여전하잖아.
전법도 그렇지만
부상 당한 다리만
노리다니.

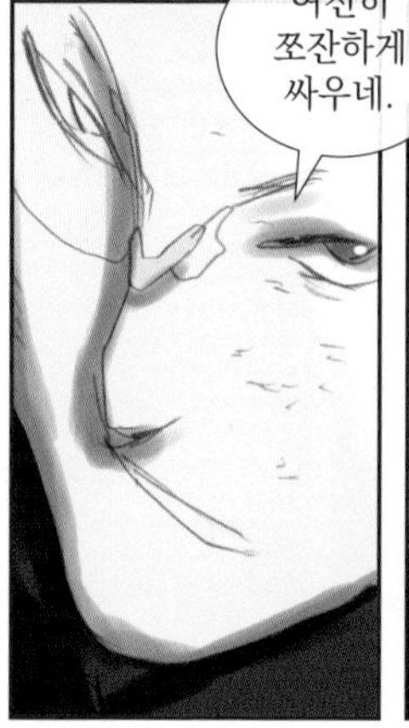
여전히
쪼잔하게
싸우네.

?!!
으직

으아아아악!!!!
바보냐?
약점을 노리는 건
당연한 거 아냐.

쫓아올
생각 마.
다음은 팔다리를
몽땅 부러뜨려
버릴 테니.

간다.
지독한
녀석.
하지만
이게 다는
아니야.

과연 버넷 말대로군.
지켜본 보람이 있어.

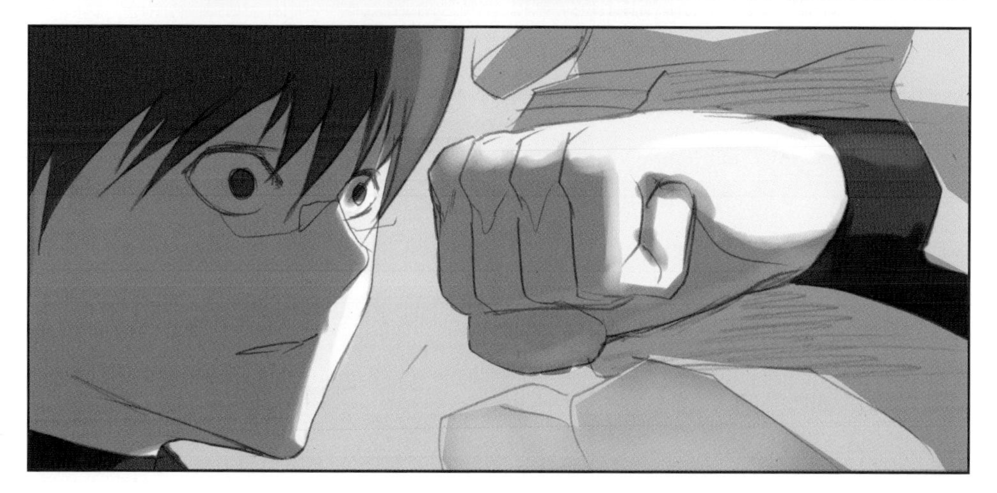

콰직

쿵

그걸 막다니
과연…
미스 마이어,
미안하지만

우린 아직
볼일이 남아서
말이지.
대충 실력은
파악했어.
싸울 수 있지?

검은?

당신도
없잖아.

그래?

와 봐.
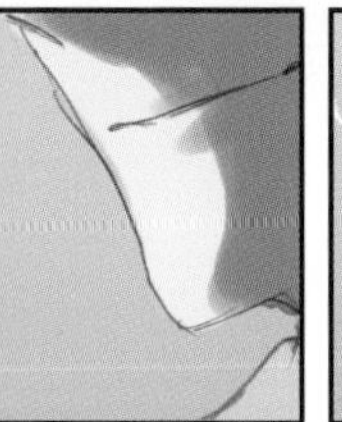
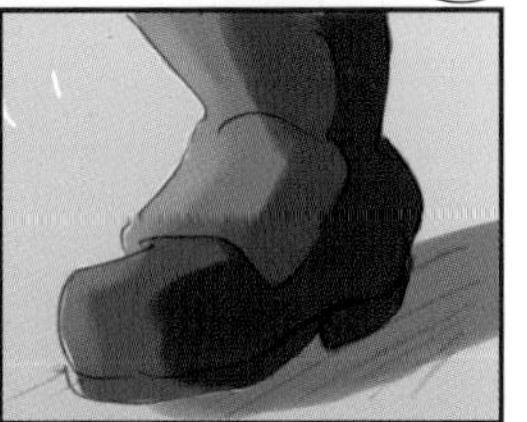

??!!!!

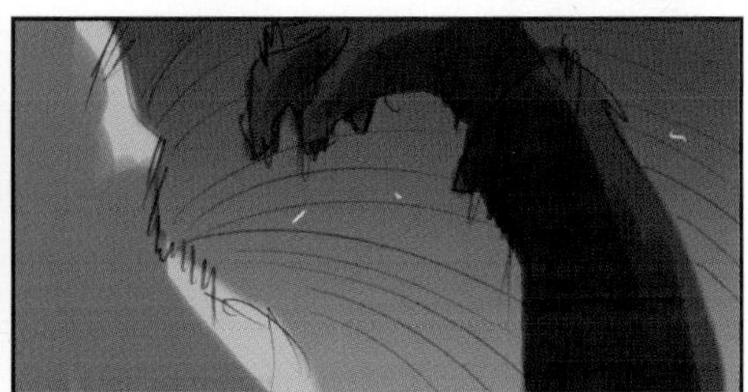

이걸
읽었다고?

턱
핑글
핑글
착

이걸
피했어?

과연… 거리를
벌려야겠군.

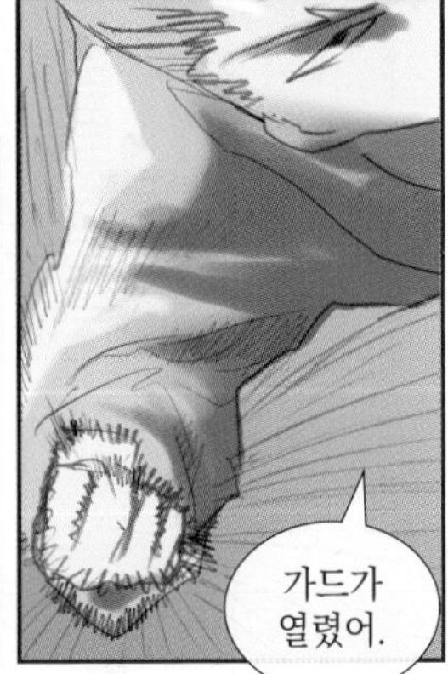

가드가
열렸어.

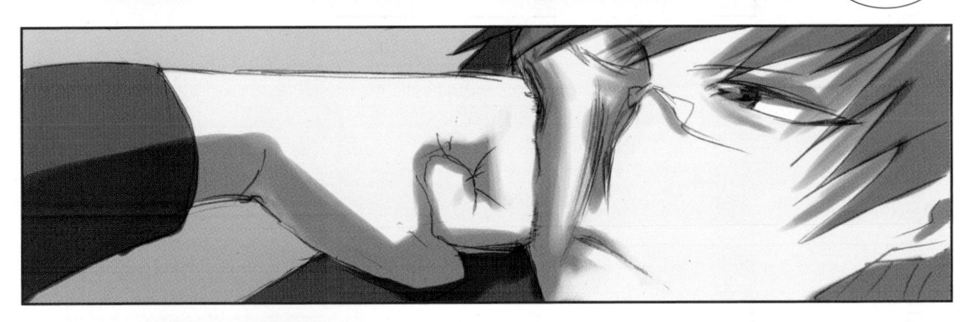

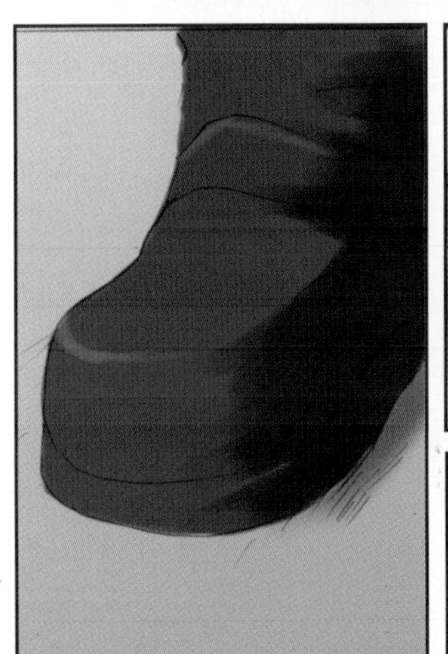

일부러
연 거야.

퍼억

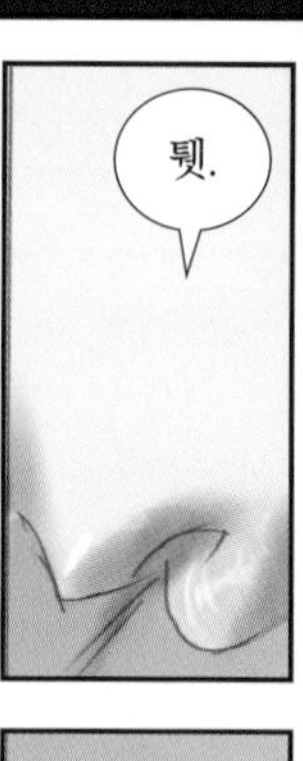
퉷.

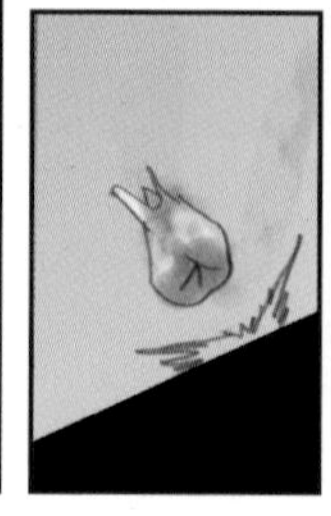

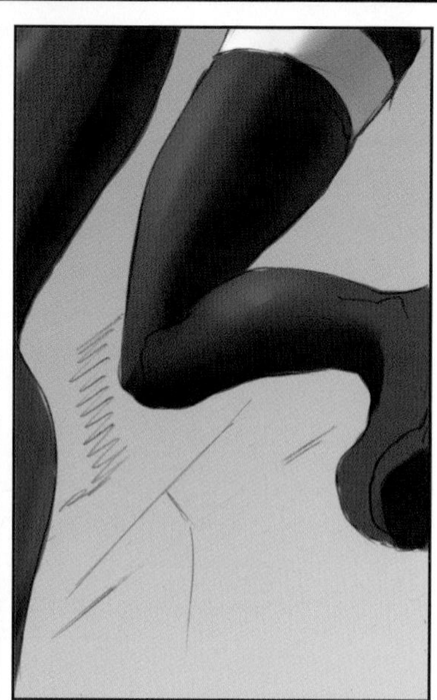

쾅

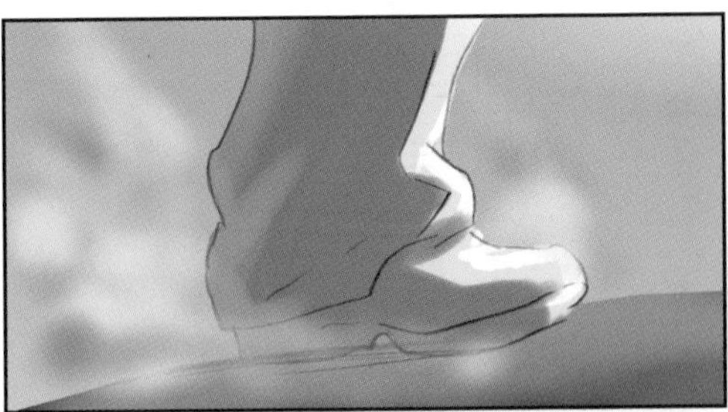

기대
이상이군.

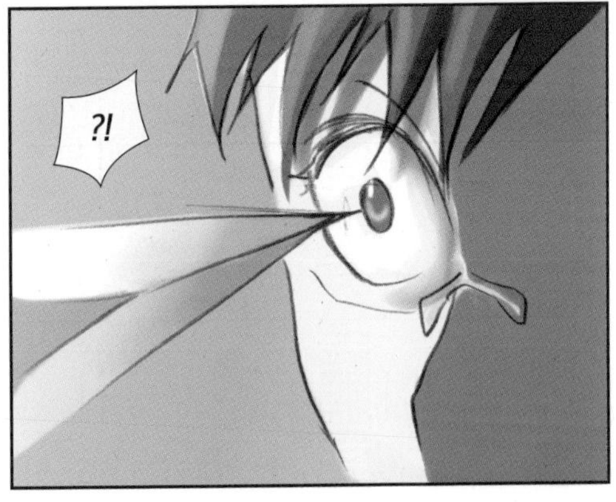
?!

킹

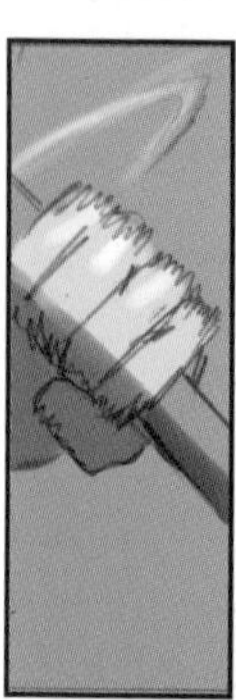

휘었다?

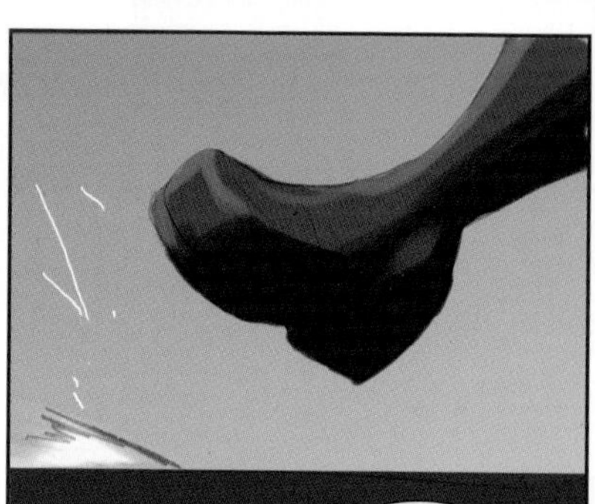

이걸 피한 건
드라이 이후 실로
오랜만이군.
재능을
뛰어넘는
수련과 경험
그리고 업.
그 무게감이
훌륭해.

……

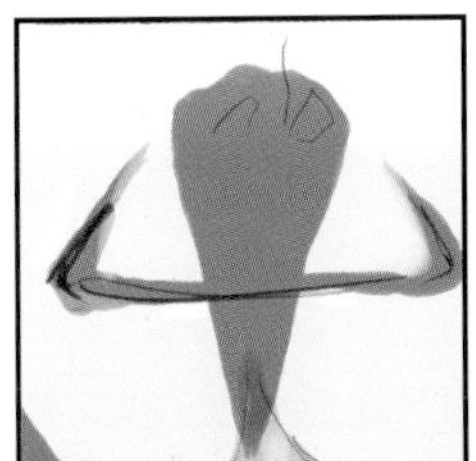

문답무용인가?
좋아.

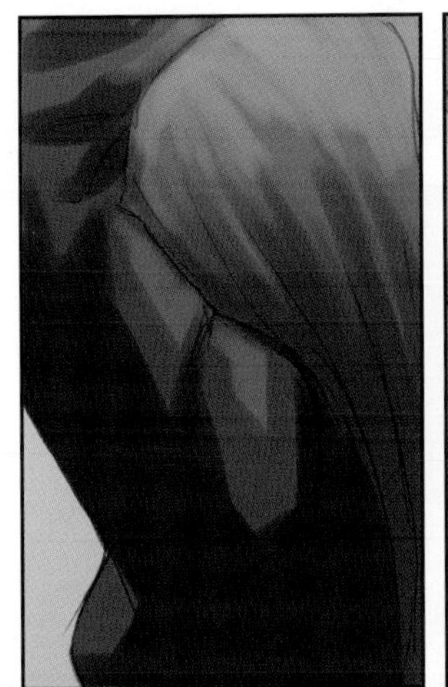

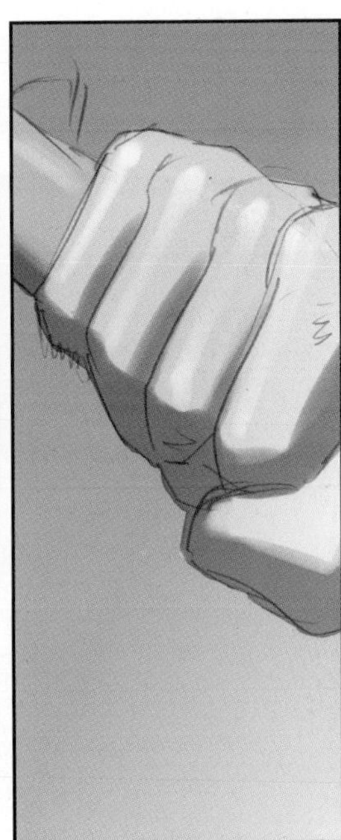

사형기
蛇形技

내 전부다.
영식 볼브를 잠재운
검은색의 뱀

읽을 수 있다면…

팅

저릿

part 32. 돌파 |끝|

part 33

Knight Run

대단한 건
인정하겠다만
너… 괜찮냐?
허세가 아니라
이 기술… 누구라도
정면으로 받는 건
무리야.

더구나
그 몸으로…
…

이미 몸이
한계를 넘어서
경련을 일으키고
있잖아.

왜 이렇게까지
무모한 짓을
벌이는 거지?

아까의 그 유치한
도발은 전략이라 쳐도
드라이가 말하던
이성적인 너와는
거리가 있군.
어차피 지금은
정공법이 통하지
않는 상황이에요.
그리고 제가
지금 무슨 짓을
하는 건지도
잘 알고요.

하지만.

나 역시
선택했어요.

…하지만
적어도 지금은
그녀의 곁으로…

가야 해요.

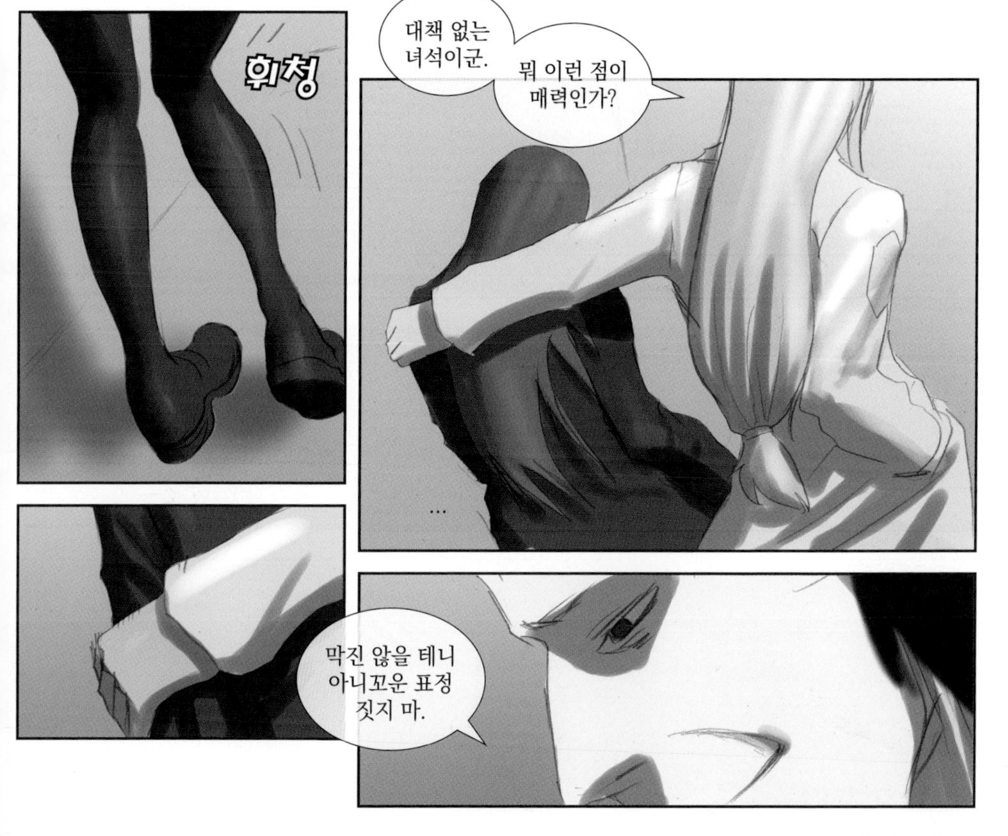

왜?
반했어?
이제는 딱히
널 막아야 할
이유가 없을 것
같아서 말이지.
드라이도 웃겨.
죽고 싶다는 놈
죽게 둘 것이지
이런 촌극이라니.
…

치안군이
오고 있어.
몸 추슬러.

네가 하는 일이
옳다는 건 아니지만
이해는 한다.
누구에게나
소중한 개인사는
있는 법이니까.
…

대책은 있고?
제가 또 인복은
있어서요.

웬 꼬마가…
여긴
위험하니까…
정말
죄송해요.
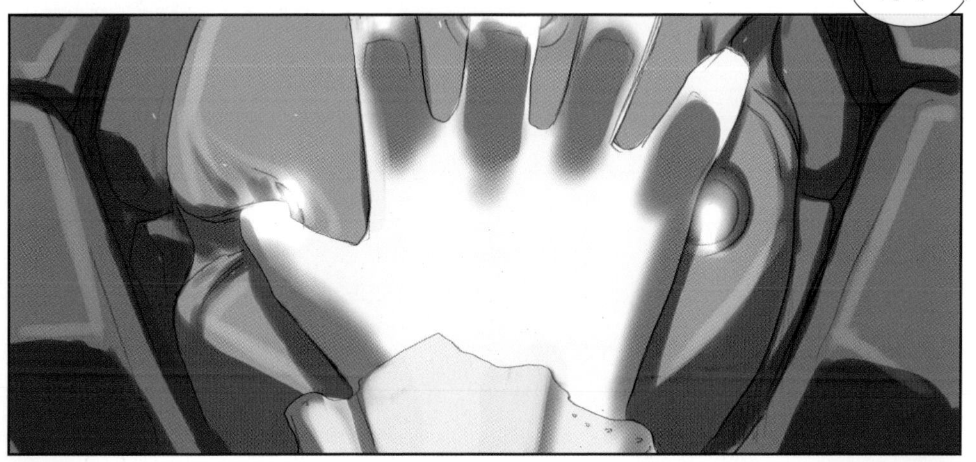

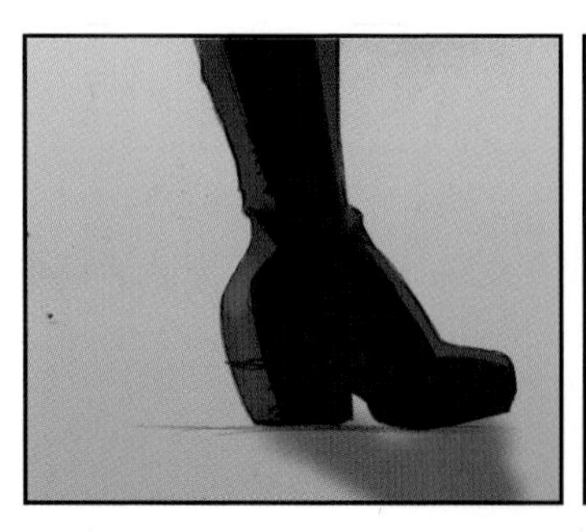

치익

으…으윽…
다리가…

안녕하세요.
미스 마이어.

A-10이라고 합니다.
기억하고 계신지요?

물론.

이렇게 귀여운데
어떻게 잊겠어?

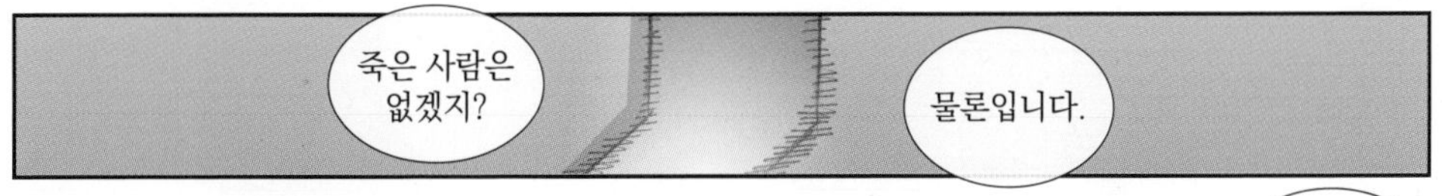
죽은 사람은
없겠지?
물론입니다.

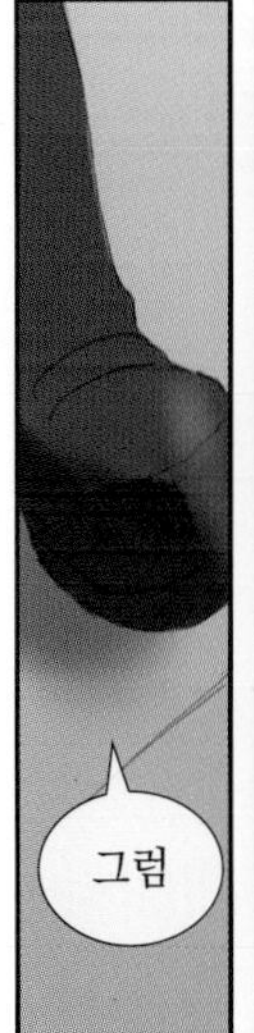
그럼

가 볼까?

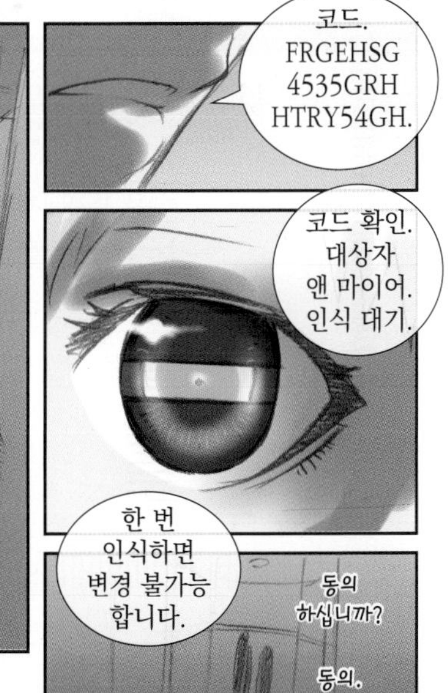
코드.
FRGEHSG
4535GRH
HTRY54GH.
코드 확인.
대상자
앤 마이어.
인식 대기.
한 번
인식하면
변경 불가능
합니다.
동의
하십니까?
동의.

앤 마이어를
마스터로 인식.

목숨이
다할지라도
이 맹세는 영원할
것입니다.

세상의 어떤
강대한 적 앞에서도
제 모든 걸 다해 당신을
지키겠습니다.

당신에게
제 삶을 바칩니다.

네가
원하는 건?

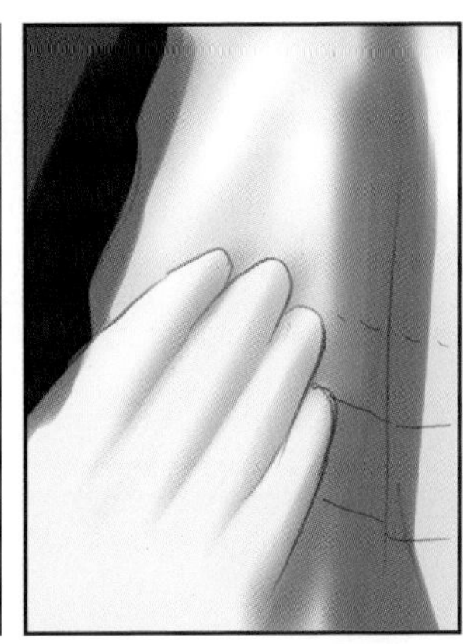

제 삶의 의미가
되어 주세요.

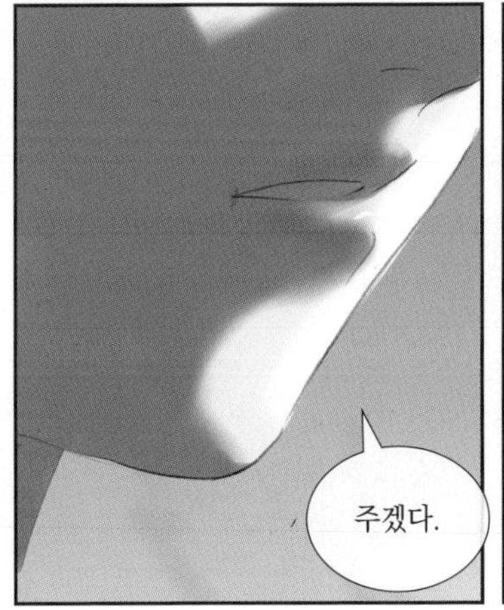
주겠다.

받겠습니다.

My master.

적은 기사다.

쫄지 마.
대기사전
매뉴얼대로
하면 돼.

상성 문제다.
군은 괴수에 취약하고
괴수를 잡는 건 기사지만,
기사가 다수의 군을
상대하기는 어렵지.
근거리
스페셜리스트니까
철저히 원거리에서
체력을 소모시키면
간단하다.
생포해야 해.

명령을.

바람 좀
쐬러 가자.

RIB

발티아 치안 병력이
꽤 많이 왔네…
AE 육군이 오기 전까지는
여길 떠야 하는데…

코트가 없어…
생포해야 하니 오히려
골치 아픈데…
옆은
누구지?
전투인형으로
파악됩니다.

쏴.

일단
저걸 으깨서
위협한다.

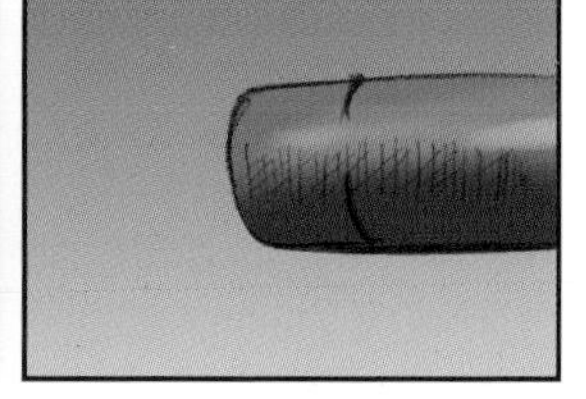

퉁

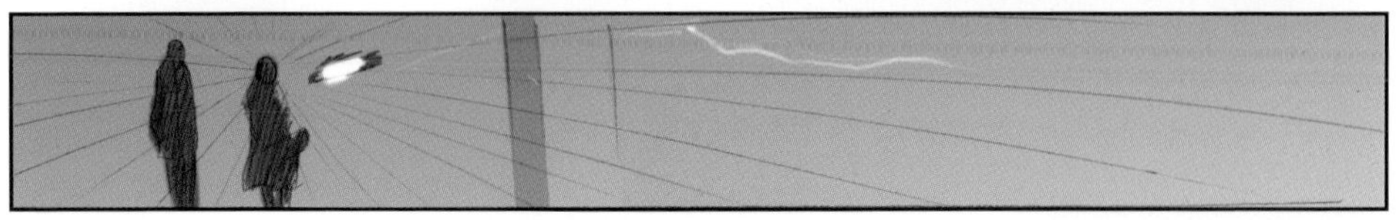

투캉

콰앙
…어?
뭐…뭐야??
하…한 발 더!
공격합니다.
토르제 대괴수 3번 특수탄 & 전용 권총 헬게이트

투

투캉

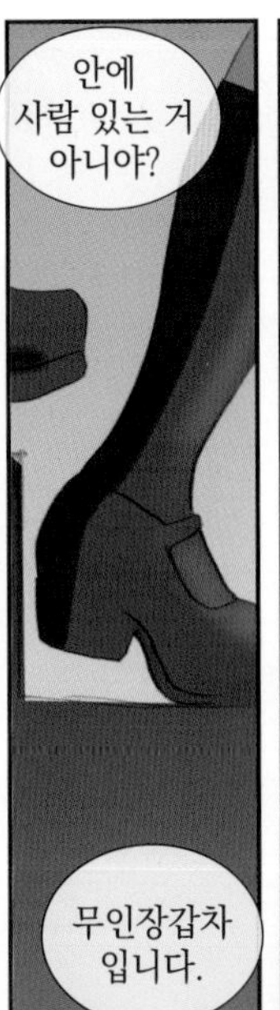
안에
사람 있는 거
아니야?
무인장갑차
입니다.

콰앙
…아마도.
야.

군용 특수
타입인가?
쏴!!!
저…저지해!!!

실드 전개.
배리어?

소모 시키는 건
무리입니다!!
디펜시브 소자
전개가 아니라
고위 실드입니다!
노심이라도
달렸나?
저 작은 게
무슨…

철컥
철컥

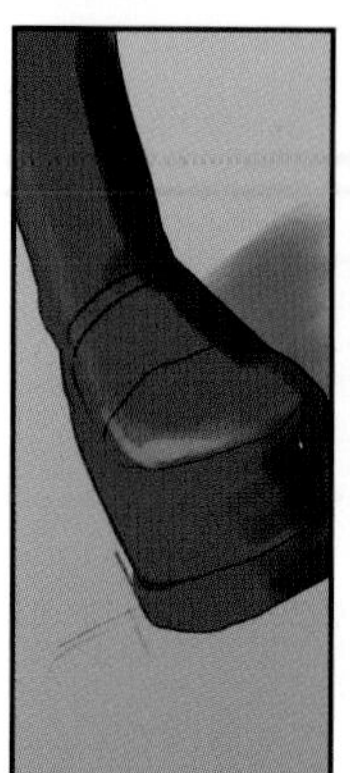

투
텅

비살상모드
사격.

투
투

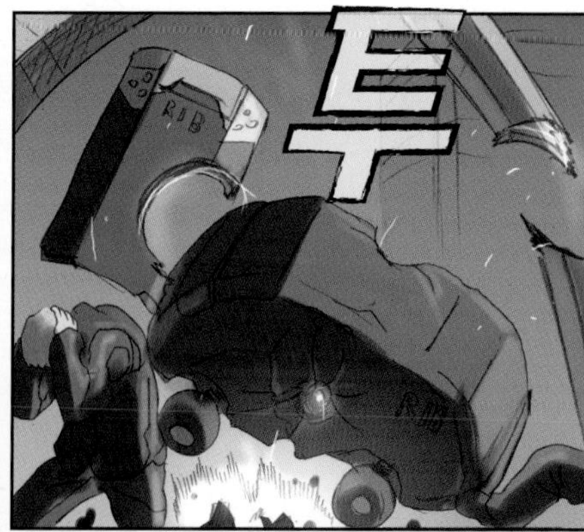
투

투
투

킹

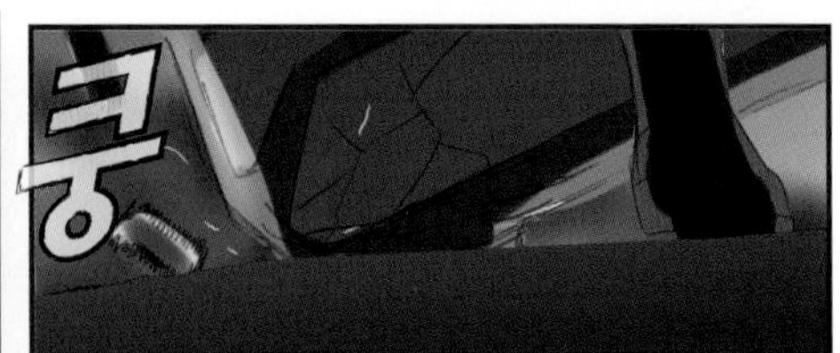
쿵

상대 진영
무력화 완료.

이런…
미안하게
됐는데.

군 위성 접속
온라인.

AE 육군이
오고 있습니다.

본군입니다.

라이단 교차로에서
중급 구축차와
주력 전차의 조합.

남쪽 5km 지점
무장 수송 헬기.

기사 3명과
루인사 8세대
전투인형 2개 소대
탑승 중.
시가전에
참여하진
않겠지만
작전 지원용
노튼함도
대기 중입니다.
이 규모는
현재 화력으로
99.9% 대응
불가능합니다.
역시 드라이가
움직이나?
…뭐 괜찮아.

이거면
km 밖에서도
껌이지.
이 멋진 놈을
자밀기관 사정권에서는
제대로 쓸 수 없다는게
아쉽긴 하지만…
전차는
어림 없을 테고
지휘 차량을
노려.
임계점.
건물 발전기
터지겠다.
오차 수정.
쏴.

쿵

?!

꾹

쾅~
쾅

다리가 막혔다!!
진행 불가!!

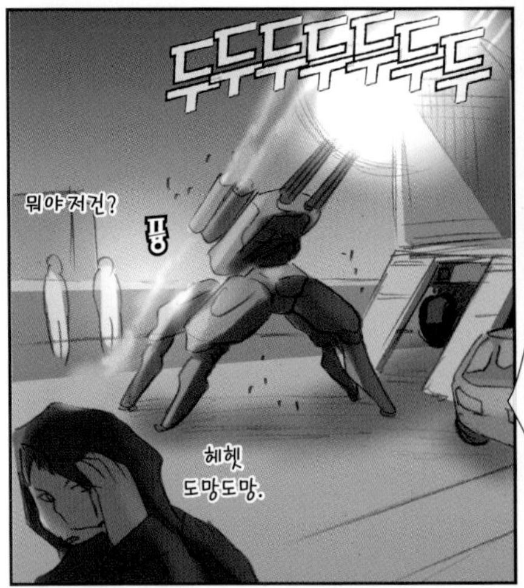
두두두두두두두두
뭐야 저건?
퓽
헤헷!
도망도망.

무인다각전차가
5번 교차로에서
공격 중!!
쾅
난민 캠프 내
민간인이 있어
교전 불가!!

화려하게
준비했군.

아무래도 AE는
괴수 전문이라
대인전에는
좀 허술하죠.

부디 사상자는
없게 해 주세요.
다인 중령.
노력하고
있습니다.
기다리고
있었습니다.
대령님.
고향을
되찾기 원하는
아린방위군 인원은
다 모았습니다.
아린군 사령부가
연락이 안 되니
다들 신연합에 모이거나
우리처럼 따로 세력을
모으고 있어 이야기가
쉽게 풀렸습니다.
다들 사연이
구구절절해서
드라마 4시즌은
나올 지경이에요.

실은 저마다 대의는 제각각이지만 대령님 이름 듣고 다 여기 붙더군요.
이참에 아예 군으로 전직은 어때요? 파견은 폼 안 나잖아요?
노든 노인네도 그 소리 하더군.
목표는요?
원래의 내 임무를 수행합니다.
신여합이 멋대로 압류 중인 아린방위군 만능전투함 '알키오네' 재탈환.
아린으로 돌아갑니다.
part 33. A-10 |끝|

part 34

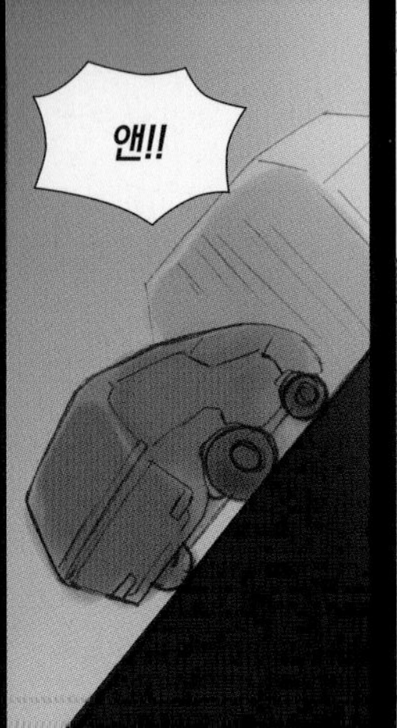
앤!!

앤!! 앤!!!

정신 차려
앤!!!

나노머신을
주입했지만
장기를 다쳐서
오래 못 버텨!!
위생병!!
빨리 이쪽으로
위생병 불러!!
앤
죽지 마…
프레…이…

너희들
때문에!!!

…저희를
감싸느라…

그만해
프레이…
난 괜찮아…
그러니까…
앤…!!!
애들한테
화내면
안 되지…
뭐야 그게…
기사단 따위
오게 하는 게
아니었어.
늘 남들
뒤치다꺼리하다가
다치기만 하고…
…앤 이외의
인간 따위…
모두
죽어 버리면
좋을 텐데…

역시 너무
화려했나…?

…다각전차도
처리했습니다.

목표는
34번
고가도로
진입 중.
투투투투투투투
온로드용
소형 무인 전차.
저거
못 따돌리는데…
헬기가 유도 중인
듯합니다.
제길 잘도
쏘네.

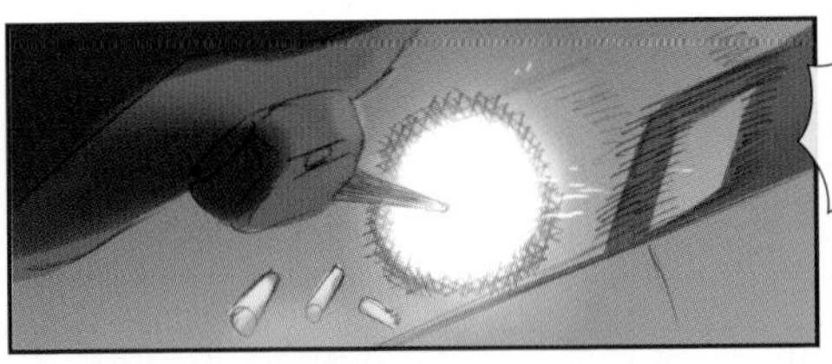

우와아아!!

투바
바바바
제길
죽일 셈인가!!

끼

우왁!!
쾅
나이 먹고
할 짓은
아니구먼!

투두두두두두두

?!
쿵

키기
기기기

루인의 실험기…
와 준 거야 에드?

티캉

미사일!!!
투
확

우와악!!!
펑
퍼
철컥

전사침인가?
컨트롤이…

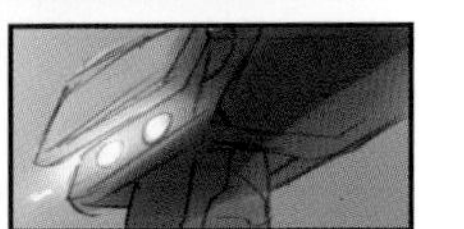

투두두두

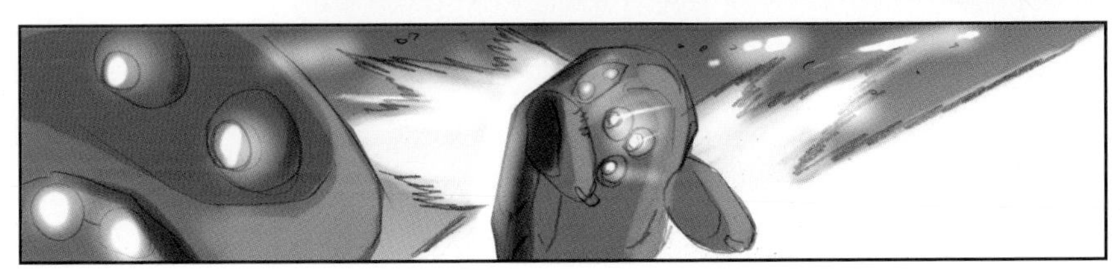

투바바바바바
쿵
AE를 공격하다니 …
치익
이런 일인지 몰랐는데 빌어먹을.

에드… 와 줬구나.

돈만 주면 괴수가 불러도 와.
하지만 네가 부르면 왠지 오기 싫단 말이야 …

예감 적중이잖아.
추가 요금이다 이건…

300미터 앞에서 좌회전. C루트로 가.

이번 일로
나 수배되면
다 네 책임이니까!!
쿠우우

하여튼
저 녀석이랑 엮여서
좋을 일 없는데…

무인기 3기.
빡세게 구네 정말…
범죄자가 되는 건
싫은데 진짜…

서둘러 주세요
중령.
예예
맘대로 부려먹어
주세요… 으…

……
거참…

아이고
머리야…
이 자식…
처음부터 마음에
안 들었지만
점점 더 마음에
안 드네.

정말
가지가지
하는구나
앤빠들.
형이나 너나
앤 주위 애들은
정말 맘에
안 들어…

그러게
말이다.
내가
생각해도
웃겨.

그래도…

방해하게
둘 순 없지.
…흥.

솔직히 말해서
정말 실망입니다.

앤이 납득할 거라고 생각하지 않았지만 이렇게 단체로 개념 없이 굴 줄은 몰랐네요. 마일로 씨.
뭐 꼭 앤 때문만은 아니고 나도 개인적인 사정이 있어.

개인적…

다만 난 이번 일의 다른 해법에 더 무게를 싣고 있을 뿐이지.
벨치스전 이후 반 토막 난 기사단, 마더나이트도 없는 상황에서
S급 영식과 레벨 7까지 확장한 엘리스 타입 여왕을 없앨 수 있는 확률보다는…

그 '여왕'의 '개인적 사정'을 이용해 처리할 수 있는 확률이 높다는 생각이 드는군.
적어도 눈앞에 올 때까지는 안 죽일지도 모르니까.

인류의 운명이 걸린 이 상황에서 개인적이라는 말이 튀어나올지는 몰랐는데요.
아군끼리 이런 소모전이라니… 한심해서 눈물이 날 정도입니다.
맞는 말이야.

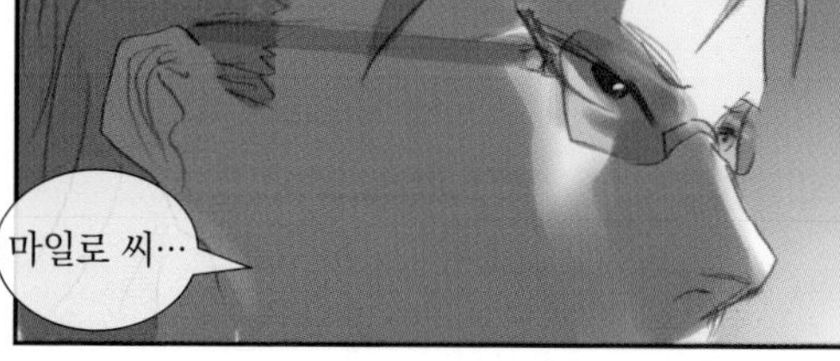

마일로 씨…

과거에도 전성기의 앤과 호각을 다투던 놈이다.
기량은 지금도 여전해.

시간이나 벌 수 있을까?

part 34. 탈출 |끝|

part 35

앤!!
앤!! 앤!!!

정신 차려
앤!!!

위생병!!
빨리 이쪽으로
위생병 불러!!
나노머신을
주입했지만
장기를 다쳐서
오래 못 버텨!!
앤
죽지 마…
프레…이…

…저희를
감싸느라…

너희들
때문에!!!

그만해
프레이…
난 괜찮아…
그러니까…
앤…!!!
애들한테
화내면
안 되지…
뭐야 그게…
기사단 따위
오게 하는 게
아니었어.
늘 남들
뒤치다꺼리하다가
다치기만 하고…
…앤 이외의
인간 따위…
모두
죽어 버리면
좋을 텐데…

그리고

앤이 떠나버렸다.

…무리입니다.
못 막아요!!
이 다리를 넘으면
도시가 있는데…
타입도 능력도
본 적이 없는 것들입니다
…강해요!!
아무리
프레이 씨라도
정보 없이는…
프레이 씨!!!
손대지 마
쓰레기가…
멈칫

죽이면 안 돼. 프레이…

앤이라면
너희 같은 것들도
지키려고 했을
테니까…
쯧.

도망가 버려.
멍청이들.
…을 죽여…
짜악

…을 죽여.

잘했지 앤…?
네 말대로
저 쓰레기들을
지켰어 앤…

기사님이
해냈어!!
…잘했…지
앤…?

잘했어
프레이.
헤헤~

어딨어
앤?…
왜…
칭찬해 주지
않는 거야?

…앤……
꾸욱
앤이…
보고 싶어…

쿵
프레이 씨!!
괜찮으세요?!!
?!
짝
…프레이 씨…
…내 몸에
손대지 마…

예전부터 들려오던 강박과도 같은 목소리.

인간을 죽여.

인간을 죽여.

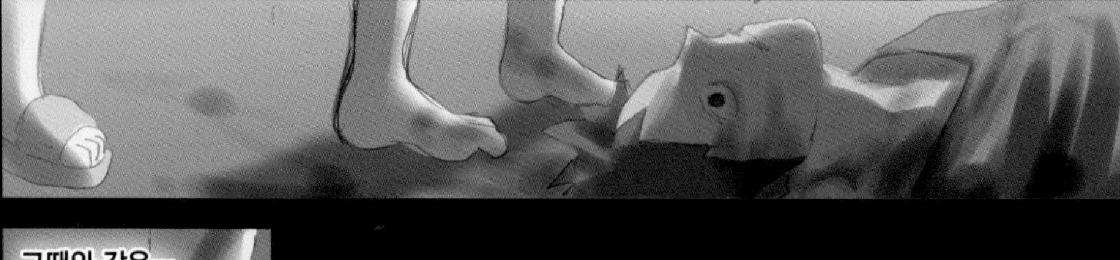

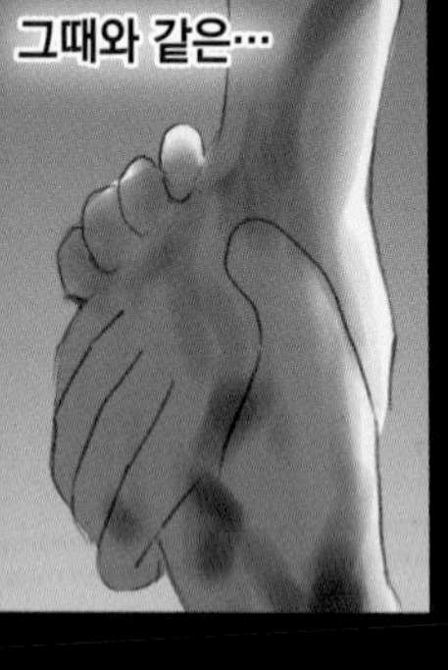

인간을 죽여.

앤은 어디에도 없다.

인간을 죽여…

이젠 참을 필요 따위 없잖아.

하지만 앤이…

간단하잖아.

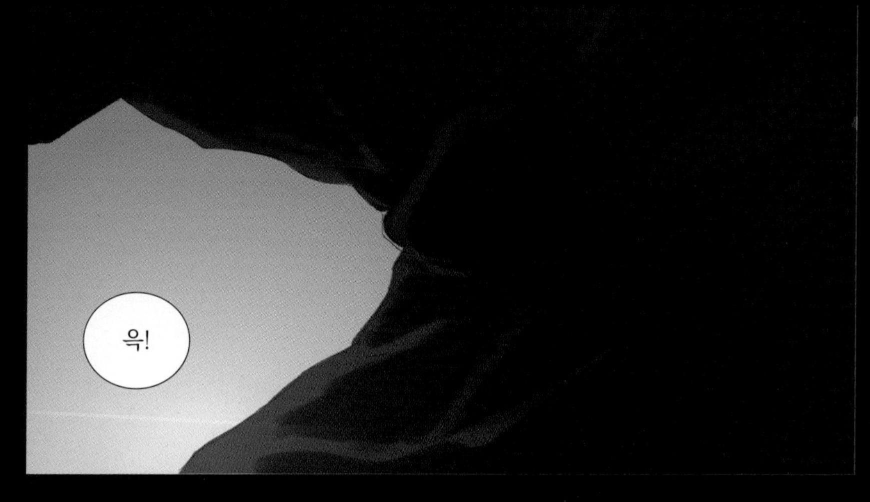

오래전부터 내재되어 있던 살의가… 태동한다.

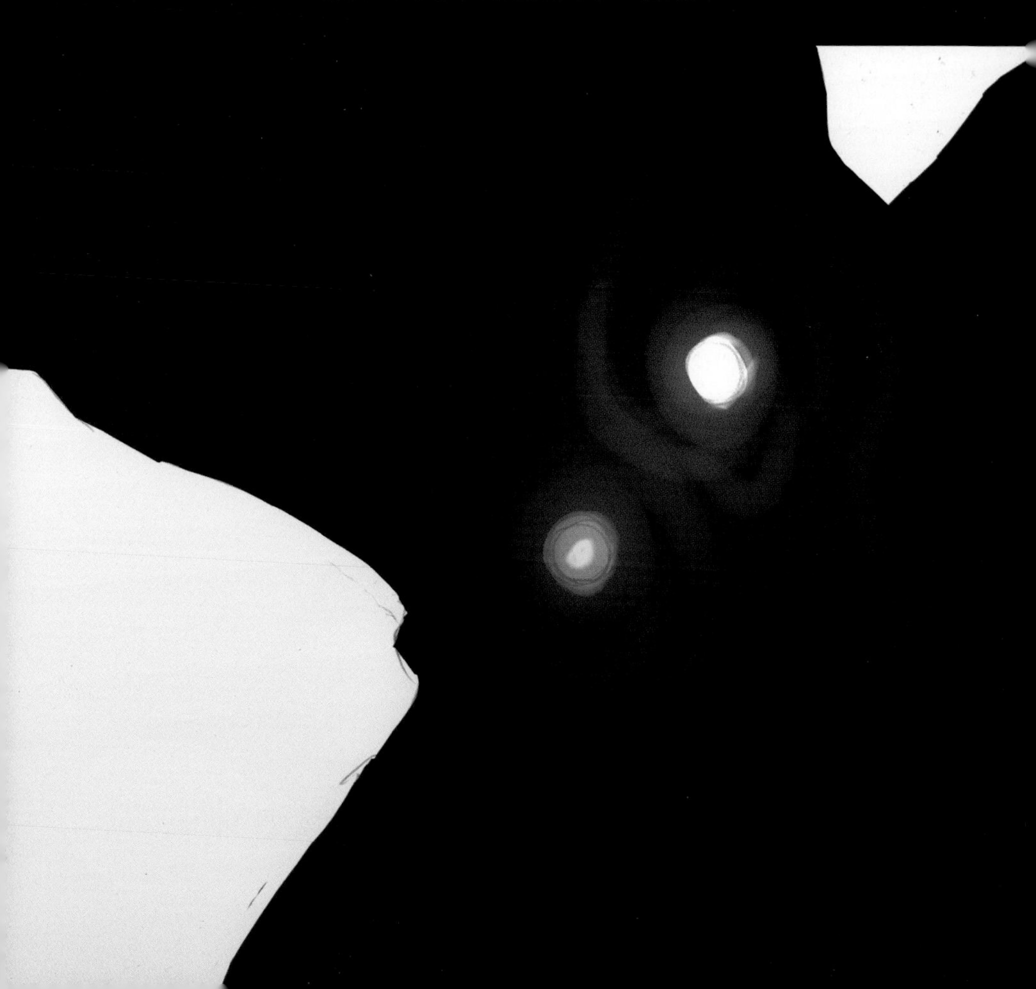

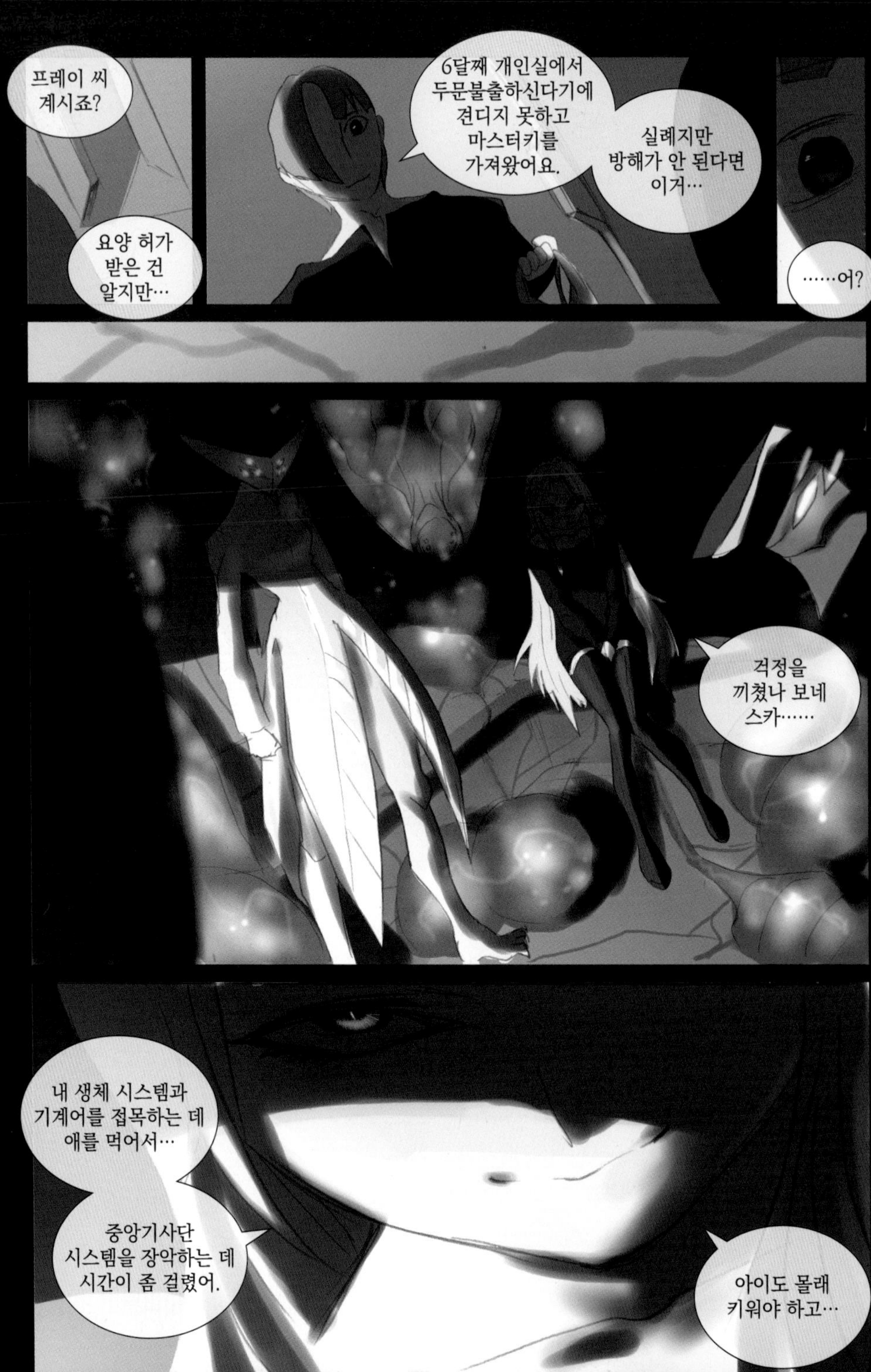
프레이 씨
계시죠?
요양 허가
받은 건
알지만…
6달째 개인실에서
두문불출하신다기에
견디지 못하고
마스터키를
가져왔어요.
실례지만
방해가 안 된다면
이거…
……어?
걱정을
끼쳤나 보네
스카……
내 생체 시스템과
기계어를 접목하는 데
애를 먹어서…
중앙기사단
시스템을 장악하는 데
시간이 좀 걸렸어.
아이도 몰래
키워야 하고…

6개월 동안
날 작전에서 빼 주고
행적을 지워준 건
정말 고마워.
…무슨…
하지만 이젠
쓸모가 없어.
프레이…
핏
…씨…
이곳은
이미 내 손 안이야.
각 격벽 차단.
긴급훈련상황 개시.
각자 개인별로
대기 명령.
일주일간 조용히
강한 녀석들부터
각개격파하면서
이곳을 둥지화한다.

대기 명령만
며칠째라니…
이동도 통신도
안 되고… 도대체
무슨 일이지?
훈련 맞아?
우리에게조차
아무 말이 없다니
뭔가 이상해.
어떻게든 여길
나가봐야겠어.
이 암호만 풀면 일단
기관실로 이동할 수 있어.
거기서 무슨 일인지
알아봐야겠어.
정말 이래도
되는 걸까?
이건 분명
뭔가 잘못된
거라고!
…뭐야…
마더나이트 룸도
생명유지장치 작동이
안 되고 있잖아?
이대로는…
중앙기사단
방어시스템 출력도
떨어져 있어…
에너지가 어디로
새는 거지?
우리만이
아니야.
모든 구역
사람들이
대기 상태로
갇혀 있어.
중앙기사단 전체가
완전히 외부와
차단된 셈이야.

언니…
…괜찮을
거야.

좋아
열렸다.
일단
기관실로 가서
출력저하 원인을
확인해야 해.

그리고 통풍구로
나가서 다른 기관에
연락해 보자.
서둘러.

……어?
뭐야…
저건…?
메인 제너레이터가…
이상해… 아무리 봐도 저건…
…플랜트야.
꾸륵
저건… 괴…괴수 아닌가?
…괴수의 …둥지…

빨리 밖으로
나가야 해!

어?
아…

괴수!!!!
잠깐?!
프레이 씨?!!

그래.
앤 외엔 하나도
남겨두지 않겠어.

그녀에게 무슨 일이 있었는지
난 정확히 알지 못한다.

단지…
그녀는 기사단의 적이 되어 있었다.

뭐가 어떻게 된 건지…
모든 일이 제멋대로 흘러간다.

그리고…
인간은 나의 적이 되어 있었다.

제법 날쌔잖아
체리보이.

한 살 많다고
유세는.

까
앙

입자탄 전방위 사격.
요정 환상향.

차
모두 실체다.
10년 전만 해도
최강이라
불리던 기술.
하지만…
확률다각화를
실제화시킨
공간 투영.

그 정도로는
무리입니다.
마일로 씨.

투

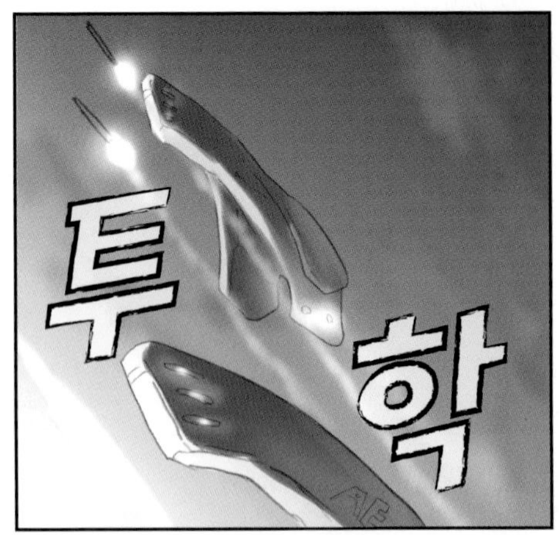
투
학

투두두두두두두두두
투두두두두두두두두두

…아 진짜…
이번 생은
글렀어…
홍보한다고
회사명 약자 같은 거
붙이는 게
아니었는데…
재수 없으면
연말은 차디찬
감옥에서 보내겠군…
평생일지도……
앤 마이어
이 빌어먹을
녀석……

잘 부탁
드립니다.
대령님.
사령부를 잃은
아린방위군은
다 여기 모인
모양이군.
아린 37함대의
하인델입니다.
아린 정보부
린델입니다.

공항을
점령한다.

항해사인
몰이라고 했지?
여기 모인 건
다 지원자로 아는데…
인형이라고 이런 데
꼭 목숨 걸 필요는
없어.
저도
실향민이에요.

Yes. I was
made in Arin.

과연…

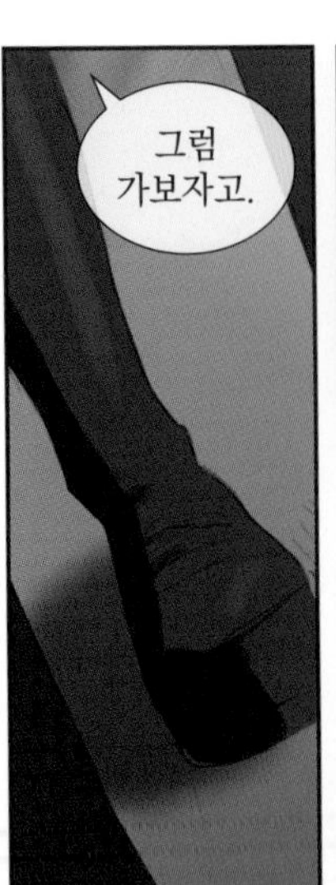
그럼
가보자고.

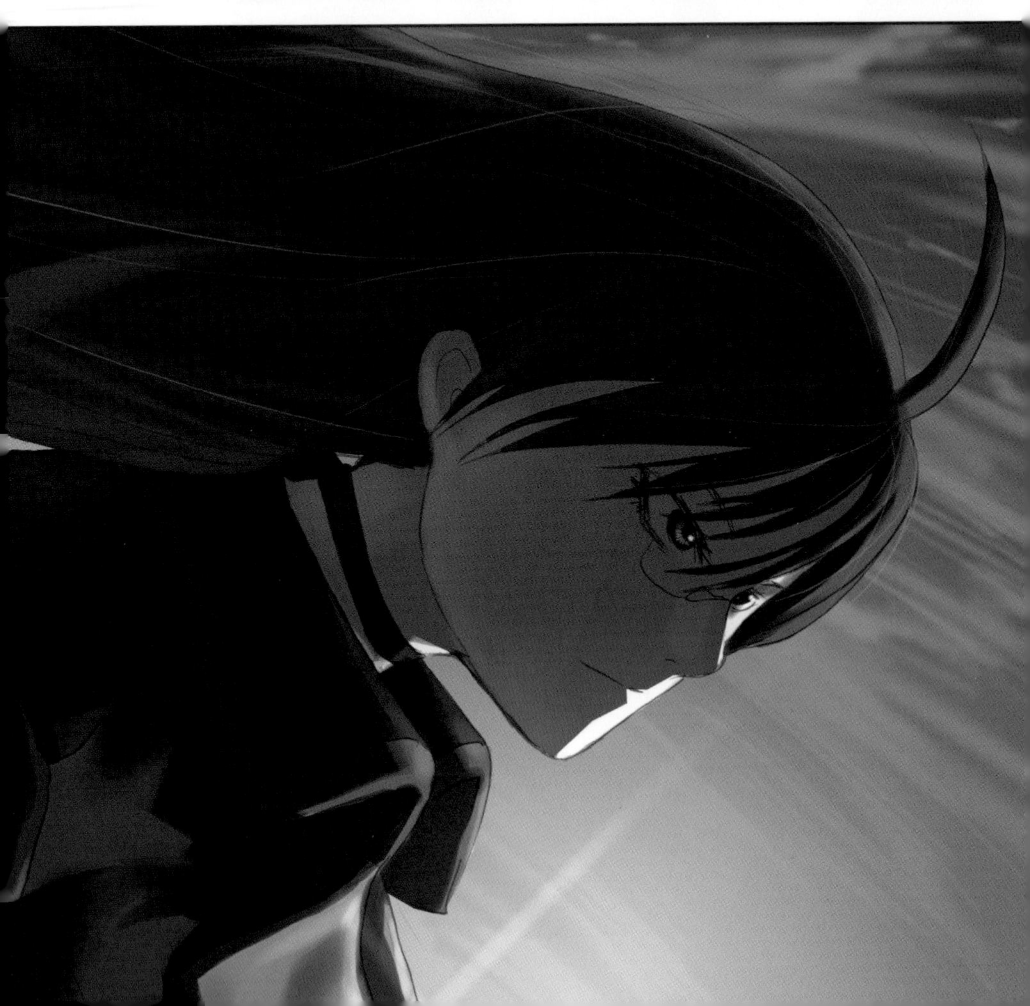

앤이… 온다…

메인 홀 제압.

콘트롤 룸 제압.

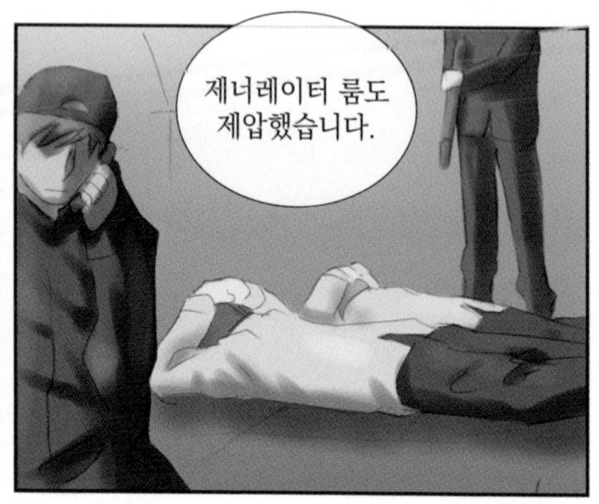
제너레이터 룸도
제압했습니다.

예상대로
민간항이라
별다른 저항은
없습니다.
사상자 무.
전 구역
제압 완료.

단순한 시험기로
생각하고 손도
안 댔나 보군.
괜찮습니까
진짜?
이건 원래
우리 함이야.
무리하긴 했지만
적법한 인수야.

전 우주에도 몇 안 된다는
300년 전의 고(古)함 엔진으로 건조된
아린의 신 건조 워프쉽,
만능 전투함 알키오네(Alcyone).
현 시간부로
나 아린방위군 제1함대
전략분석팀장 대령 앤 마이어는
잔존 AUA 대표로서
신연합에 불응,
성계 저편에서 싸우고 있을
아린방위군에게 알키오네를
전달하는 독자적 임무를
수행한다.

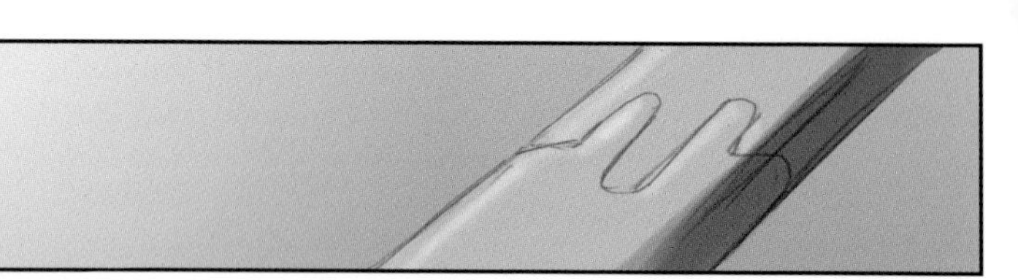

빚은 갚았다.

감사합니다.
레이미 교관.

하지만…
?!

아…아니…
왜?

DC코트 좋네요.
벗어 주세요.
…
하하…
예전이나 지금이나 마음먹은 건 다 저질러 버리는구나.

검도 잃고
코트도 잃고.
징계위원회가 아주 들들 볶겠는데.
죄송해요.

토르 박사가 전해 주란다. 꼬마.
일단 타라고 해서 탔는데 이거 어디로 가요? 다음 행선지를 듣지 못해서…
왠지 거절하고 싶었지만 일단 여기서 빠져나가긴 해야겠고…

아~주 좋은 데 가지. 뭐 지금 들어서 좋을 것 없어. 워프 시작되면 알려줄게.
예? 워프요?

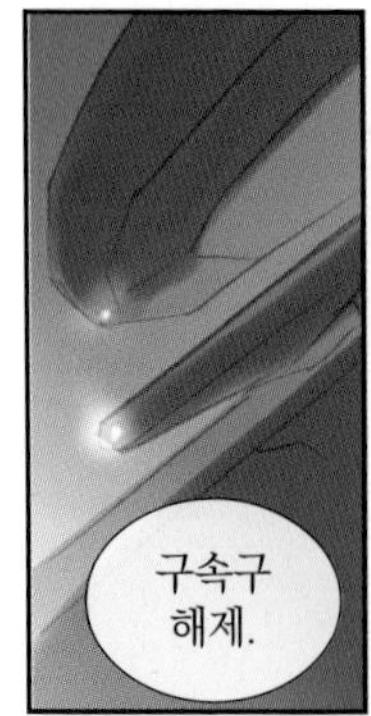
구속구
해제.

알키오네
시스템 온라인.

블랙홀 엔진
축퇴 시작.
긴급 상황에 따라
시스템 체크 올 스킵.
매뉴얼
32번 절차를
따릅니다.

대령님,
명령을…

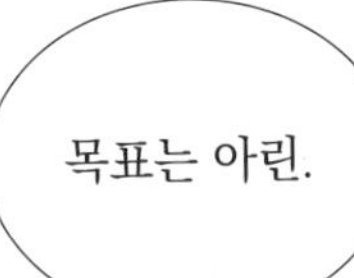
목표는 아린.

AUA

우리들의 고향을
탈환한다.

part 35. 고향으로 |끝|

part 36

엥?

공항
방벽 강화?
무슨…

아…

쿠
아

엔진 출력
불안정.
SCR드라이브
발동까지는 출력이
부족합니다.
화물의
사상력이
영향을 주고
있어요.
일단
거리를
벌린다.

알고 있어.
여기서도 보여.
뭐…?
아군인데
일단 쏘라고?

제길
난 몰라!!
엔진부를 노리고
실드형 자율고기동
미사일을 쏜다.

신형 미사일을
이런 데 써야
하다니…
일반탄
전탄 발사.
실드를
소모시킨다.

상대는 기함급 고성능
전함이다. 자밀기관을
상정하고 실드탄을
유시계로 유도 보정한다.

저 중형탄…
유인기가 유도
보정 중입니다.
적외선 교란, 플레어,
채프. ECM, 디코이
모두 안 통합니다.
보고에 있던
고성능 대실드탄일
겁니다.

오히려
좋아.
에덴 도심부
전력선을 따라
초저공 비행.
제어하는 게
인간이라면
여기서는
못 터트려.

도심 상공
200미터
이하로 비행.

도시를 인질로
삼다니 악당이나
할 짓이잖아요.
오늘
콘셉트예요.
치사하게 가죠.

완패야. 다행히 시간 끌기는 성공했으니 항복.

네가 생각하는 것 이상으로 두 사람의 연은 깊고 복잡해.
그 '모두 함께 행복을 나누어요' 풍의 공익 CF라도 찍을 듯한 앤이 이렇게 막무가내로 아린에 쳐들어갈 정도로…
줄리아 어떡하냐? 너밖에 안 남았어. 네 언니 동생의 원수다. 저 자식 얼굴 기억했다가 잘 때 좋지 않은 곳에 빔을 갈겨 버려.

그녀는 가야만 해… 앤의 업… 그리고 내 과거의 잔향이 만든 지금의 실타래를 풀기 위해서.

그게 무슨…
너 피온을… 기억해?
피온?
너무 어려서 기억 못 하나… 뭐 됐어. 말해줄 수 있는 건 여기까지.
에휴 또 내리네.

발티아 사상 첫눈과 함께하는 크리스마스를 보내게 될지도 모르겠군.
그러고 보니 앤 녀석 생일이 크리스마스지?

발티아의 화이트 크리스마스라…
살아 돌아오면 작업이라도 걸어 봐. 그 둔감한 녀석도 뭔가 느낄지 몰라.
…

…

쯧.

그만할래.
?!

기분
잡쳤어.

욱해서 덤볐지만
생각하면 할수록
'최강앤빠결전전'에
참가하는 듯한 모양새가
영 동기부여가
안 돼서 말이야.
게다가 이젠
싸울 이유조차
없어졌으니 이겨 봤자
이건 뭐 바보 인증도
아니고…
너하고 형이랑
결승전 치러라.
공식 앤빠로
인정해 줄게.
누가 알아?
상으로
앤 아줌마가
뽀뽀라도
해 줄지.

…뭐 그만
싸우겠다면
됐어.

퍽
하지만.

네가 날
엿 먹였으니
너도 한 방은
먹어 줘야지.
착

언제든 다른
명분이 생기면
박살 내 주마
칙칙한 자식.
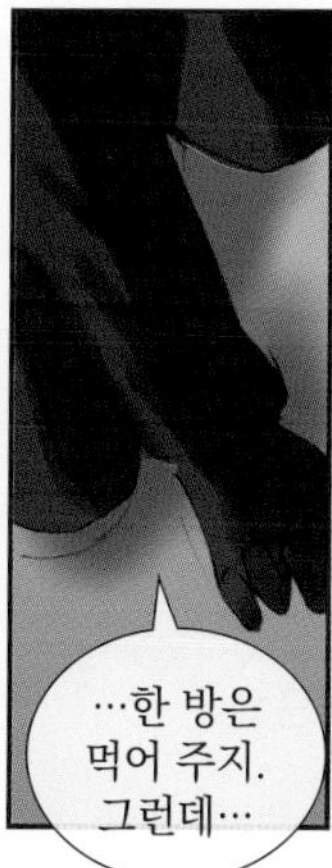
…한 방은
먹어 주지.
그런데…

이것도
주먹이냐?
샌님.
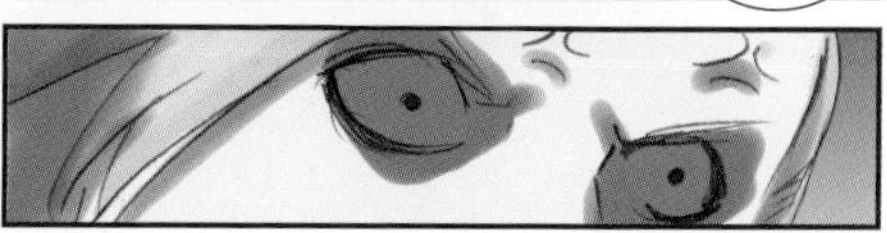

역시
한 판 더 붙자!!

투
학

티티티팅

안 먹힙니다! 미사일에 무슨 실드가…
우리 속도에 맞춰 쫓아오고 있습니다. 실드 중화 후 지향성 폭발이 예상됩니다!

몰, 엔진은?

출력 49%. SCR드라이브 사용 가능.

꽉 잡으세요.
쿠

콰 아

콰
콰
콰

후끼악!!

SCR드라이브
기동 자세 제어.
쿠
우

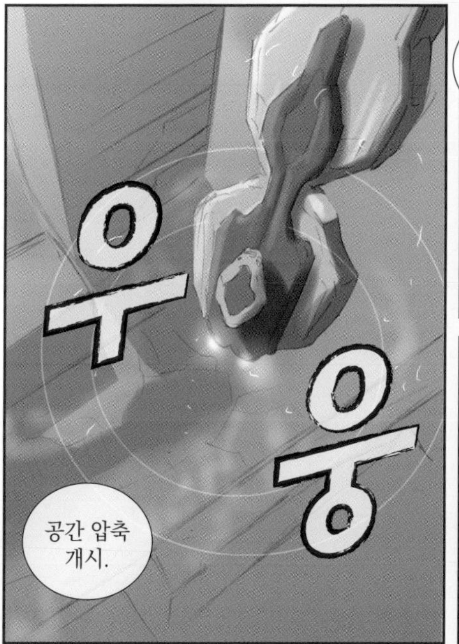
우
웅
공간 압축
개시.

목표 궤도 계산.
압축 78%.
함내
관성 중화력
최대치
도달.

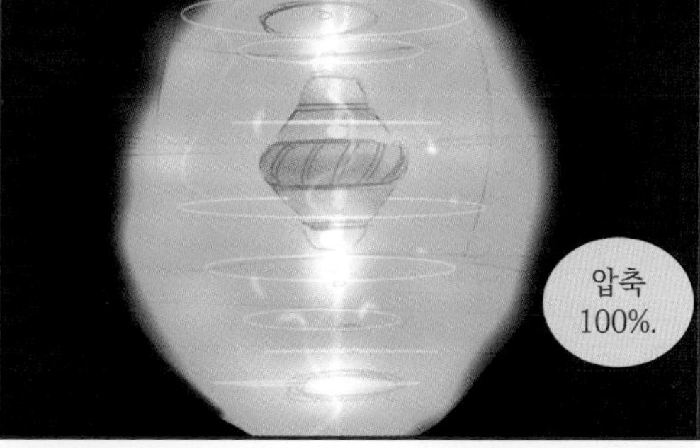
압축
100%.

준비하세요.
뭘?

Reaction.
우웅

키잉

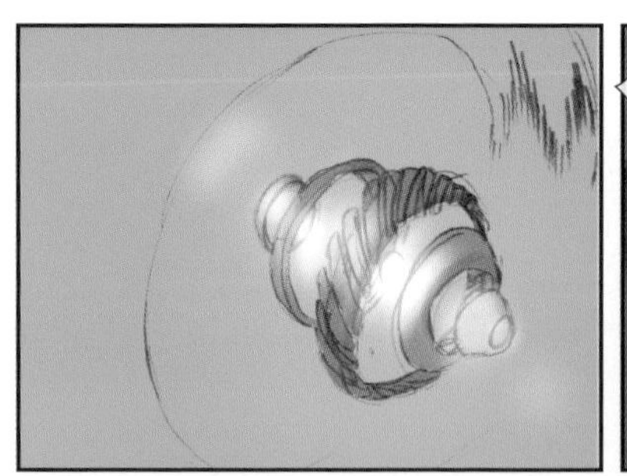

우와아아아아!!!!

우어어어어어!!!

쿠

목표 궤도
진입.

오차가 꽤
큽니다.
행성이
모글레이의
공간 고정 때문에
자전이 불안정해서
궤도 계산이
엉망이에요.

마커가 없다면
워프 시 좌표 계산이
골치 아프겠네요.
……

…X나
빠르네요.
입이 걸어요.
중령.
This is the
quality of Arin
products.
시끄러워.
그런데
대령님.
우리가 올 걸
알고 있었나
봅니다.
전투기
전개.
목표는 전방의
알키오네.
전방의
함선에
경고한다.

지금 당장
엔진을 멈추고
정선하라.

지시에
불응할 경우
발포하겠다.

피린의
무적함대.
절대 방어권을
포기하고
아린 공략전에
합류한 건가.
드라이 녀석
꽤나 신경을
썼군.
대령님…
교전은 안 됩니다.
전투 회피가
우선입니다.

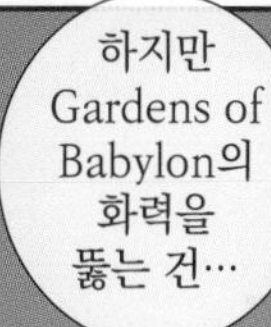
하지만
Gardens of
Babylon의
화력을
뚫는 건…
본함의
기동성을
믿어 보죠.

30초의
시간을
주겠다.

전 함
알키오네
조준.

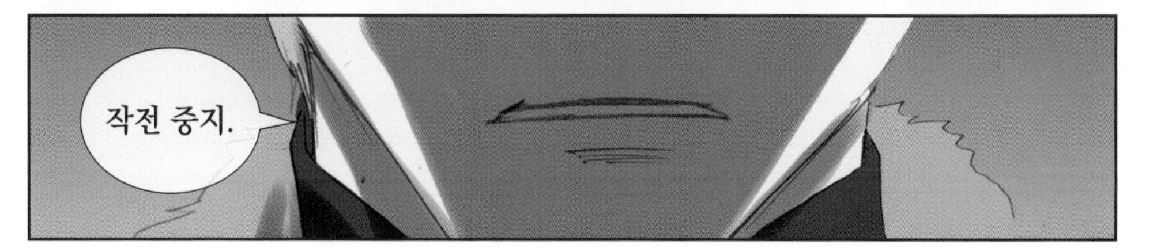
작전 중지.

알키오네는 요구에 불응할 겁니다. 이대로는 사상자가 생길 게 뻔해요.
모든 게 불안정한 현 상황에서 아군끼리 함대전까지 벌인다면
아직은 불안한 신연합의 동맹도 와해됩니다.

리넬 제독. 전함 공격 중지 명령을 내려 주세요.

…

쳇. 전 함에게 알린다.
작전을 중지하고 원래 복적지인 우주항으로 향한다.

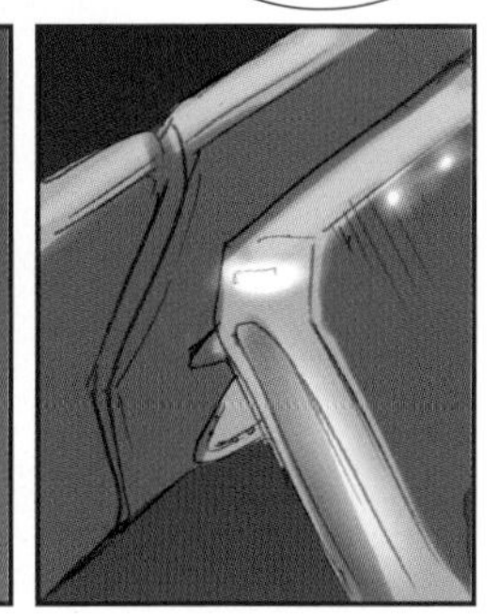

그래. 굳이 사상자를 만들어 앤에게 어두운 그림자를 드리울 필요는 없지.
…

거기까지 가면…
이런 일도 아무 의미가 없어요.
앤과 연결해 주세요.

앤……
널 믿지 못하는 건 아냐. 너도 생각이 있겠지.
대규모 함대를 동원해 성계 전반의 안보를 위험에 빠뜨리느니 소수의 인원으로 기습 침투하려는 거겠지.
하지만 그건 어디까지나 차선책일 뿐이야. 너도 알잖아.
드라이…
철딱서니 없어. 노블레스 오블리주까지 논하자는 건 아니지만 네 명성을 네가 모르지 않을 텐데 그에 걸맞는 책임감을 가지고 행동해야지.
미안해.
지극히 개인적인 일에 타인까지 개입시키다니 너답지도 않잖아. 모두 자발적인 지원자라는 핑계는 대지 마. 결국 너 때문에 모였다는 사실에는 변함이 없으니까.
정말 미안해.
이성적인 척은 혼자 다 하더니… 지금 나의 행보를 이렇게 바꾼 것도 넌데 이제 와서 이렇게 웃기는 짓을 한다고? 게다가 프레이는 지금까지 잘도 내버려 뒀잖아?
미안…

……
…친구로서
충고 하나만 하지.

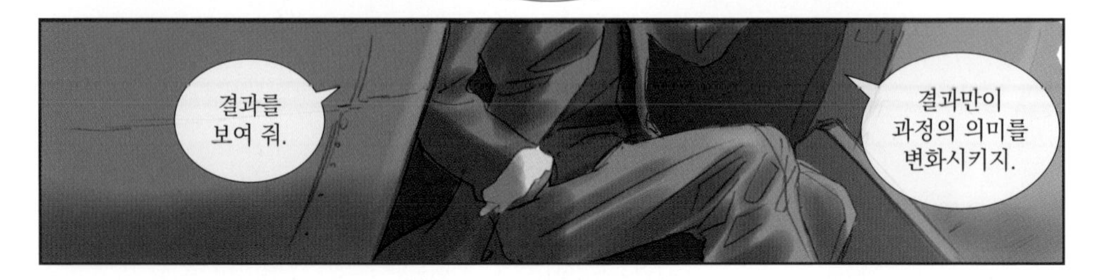
결과를 보여 줘.
결과만이 과정의 의미를 변화시키지.

네가 무슨 생각으로 갔든 네 행동이 전황에 도움이 됐다는 결과만 있다면
널 처벌하자고 날뛰던 의원들도 바짝 엎드려 네 구두라도 핥으려 할 테니까.

네 의도가 무엇이었는지는 상관없이 말이야.

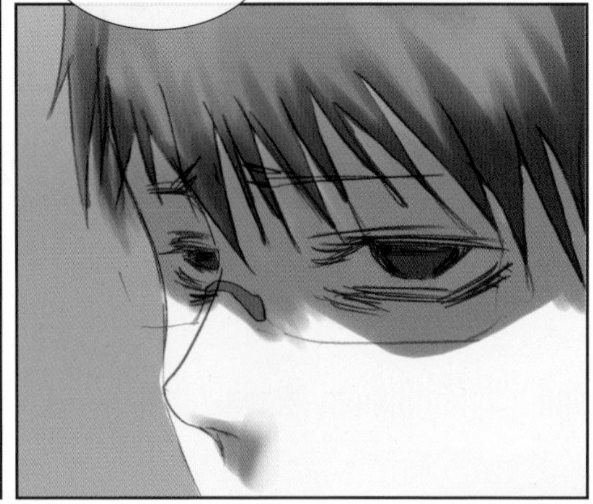

결과만이 네가
신연합을 와해시키려
무력행사를 한
범죄자인지
반대와 위험을
무릅쓰고 동포를 구하러
사지에 뛰어든 영웅인지를
결정해.
그러나 다시
말하지만

네가 사람들에게
영웅이 되든 범죄자가 되든
네 행동의 동기가 지극히
개인적이고 이기적이라는
본질은 변하지 않아.

넌 모두보다
프레이를
선택했어.
그것만은…
명심해.

응…
알고…있어.
충고
고마워.

앤이… 내 손을 떠난다.
…싫은 소리는 다 했어.
보내 주자.

가는 김에… 미스 자일 양도 찾아봐 줘. 친구 덕에 약혼자도 구출해야지.
그 녀석 무척 끈질기니까 분명 살아 있을 거야.
그래…
이걸로 됐다.
그래. 노력할게.

가라.

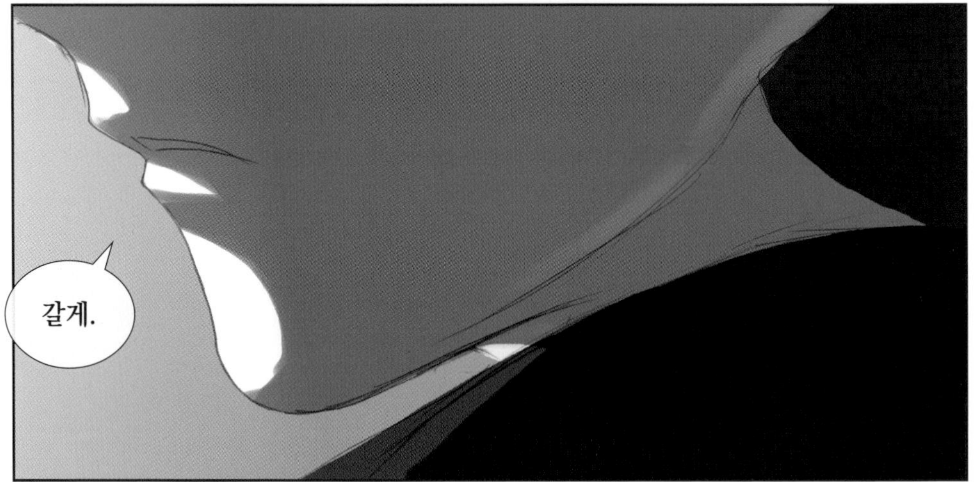
갈게.

좌표… 아린의 37번 워프마커에 특이점 정보 공유.
작동률 37%. 극히 위험.
작동 여부는 물론이고 이미 점령당한 성계의 워프마커를 이용한다는 위험도 감수해야 합니다.
제가 감은 좋은 편이라서요. 도착할 수 있다에 겁니다.
다른 분들 의견은요?

괴수 부대의 한가운데로 들어가게 될 거라는 말씀이죠? 그것참 볼만하겠네요.
그리고 의견은 됐습니다.
어차피 모두 아린에 가족을 두고 온 사람들 뿐이에요.
적어도 여기에서는 아무도 당신을 탓하거나 반대하지 않습니다.
가요. 대령님.
축퇴 시작.

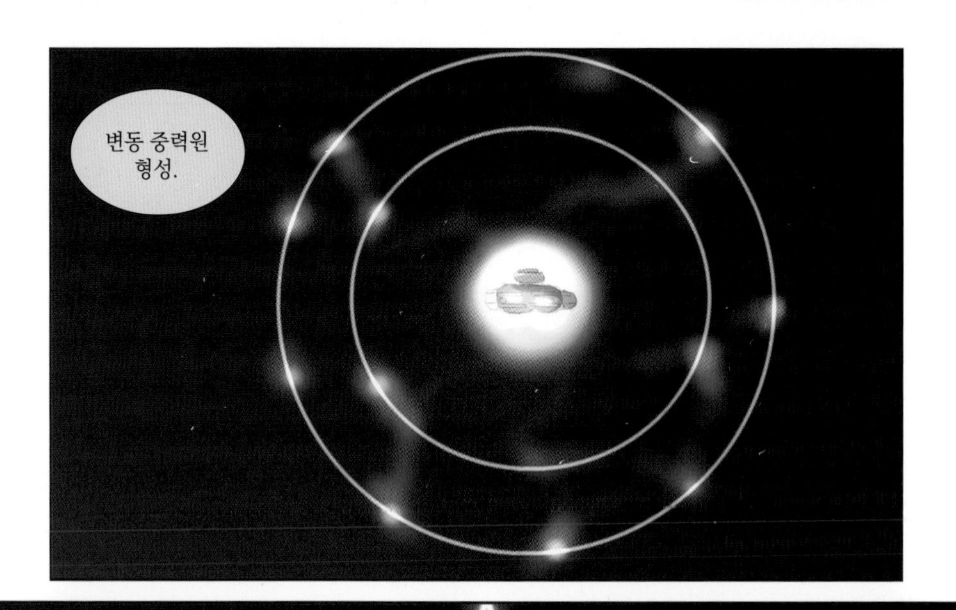
변동 중력원
형성.

워프 인.
키잉

…아아…
가 버렸네.
열심히 닭 쫓던
멍멍이는 하늘만
쳐다보고.

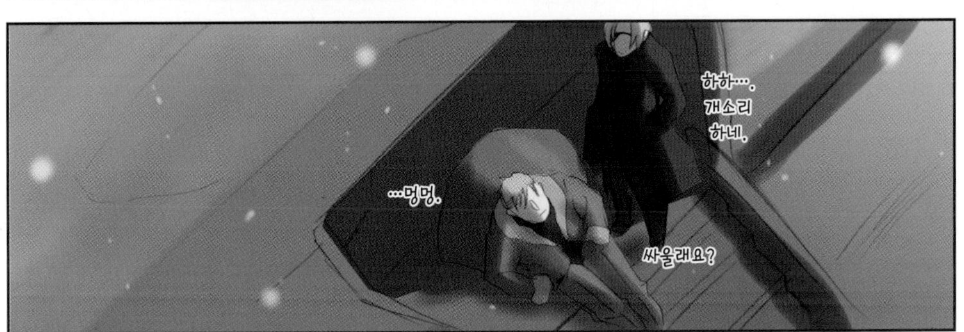
하하….
개소리
하네.
…멍멍.
싸울래요?

괜찮나?
괜찮아요.

앤은
선택했어요.
프레이를
만난다는 선택…
하지만…

아직 끝이
아니에요.
프레이 앞에
서면
그녀는 한 번 더
선택해야 해요.
part 36. 선택 |끝|

part 37

탄약이
부족합니다!
이대로는…
계속 쏴!
피난민이 대피할
때까지 버텨야 해!!
퉁 퉁
3분대는
피난민 유도 중!

전방에 RR
2기 출현!
무리입니다!

좋아!
2분대부터
천천히 빠진다!!
피난민
잘 챙겨!!

꺅!!

일어나세요!!

?!

꽉 잡아요
맥켈런 부인!!
쾅

오늘도 겨우
살아남았나…

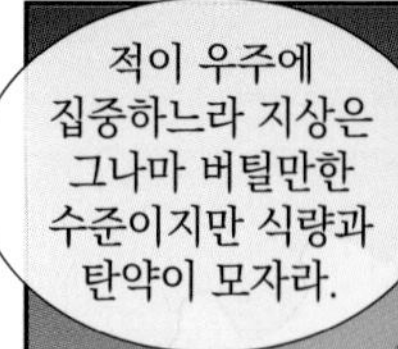
적이 우주에 집중하느라 지상은 그나마 버틸만한 수준이지만 식량과 탄약이 모자라.

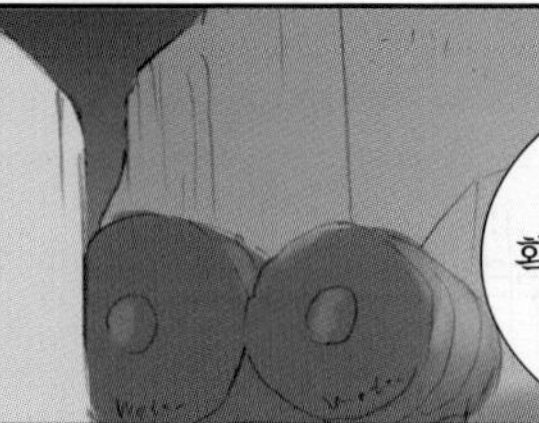
2팀의 둥지 진입로 확보 임무를 중단하고 합류시켜야 하나…

계속 쉬지도 못하셨죠?
좀 드시고 하세요.

감사합니다. 부인.
별말씀을요.

아까는 구해 주셔서 고마워요.
응급구조사 자격증까지 있는 귀한 인재를 잃은 순 없죠.
자녀가 둘이셨죠? 한 분은 기사라고 들었던 것 같은데…
예 딸 하나 아들 하나요.
이 일이 생기기 전에 우주로 올라갔어요.

무사해야 할 텐데…
…이미 우주도…

괜찮을 겁니다.

하늘을
보세요.

아직 싸움의 빛이
반짝이고 있잖아요.
저건
희망이 있다는
뜻입니다.

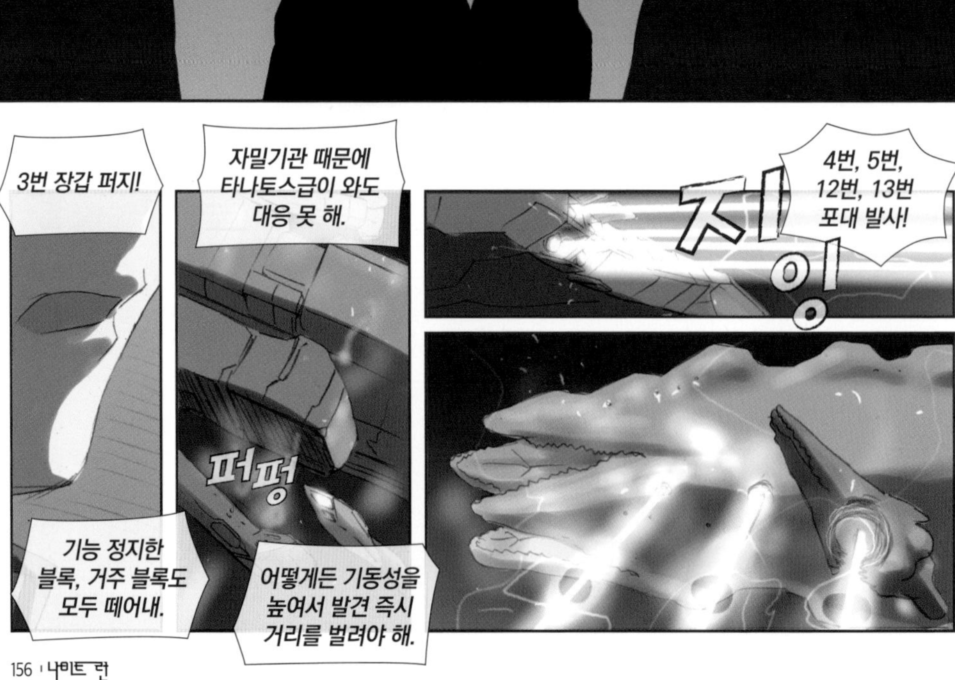
3번 장갑 퍼지!
자밀기관 때문에
타나토스급이 와도
대응 못 해.
4번, 5번,
12번, 13번
포대 발사!
지잉
퍼펑
기능 정지한
블록, 거주 블록도
모두 떼어내.
어떻게든 기동성을
높여서 발견 즉시
거리를 벌려야 해.

퓰러 격파.
쿠우
게릴라전도 버거운데
워프마커를 노리니
이거야 원…

4번 함, 대열을
이탈하지 마!!
워프마커밖에
희망이 없다지만
이 이상은…

여기서
물러설 순
없는데.

이것마저
잃게 되면
지원군이 올
가능성조차
사라져.

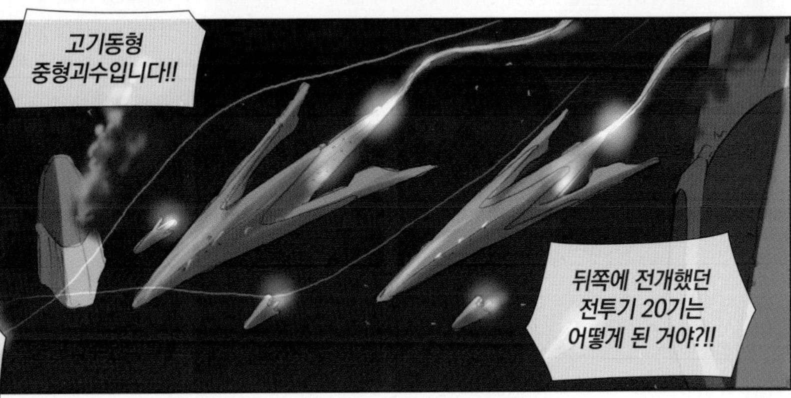
고기동형
중형괴수입니다!!
뒤쪽에 전개했던
전투기 20기는
어떻게 된 거야?!!
5시 방향
뚫렸습니다!

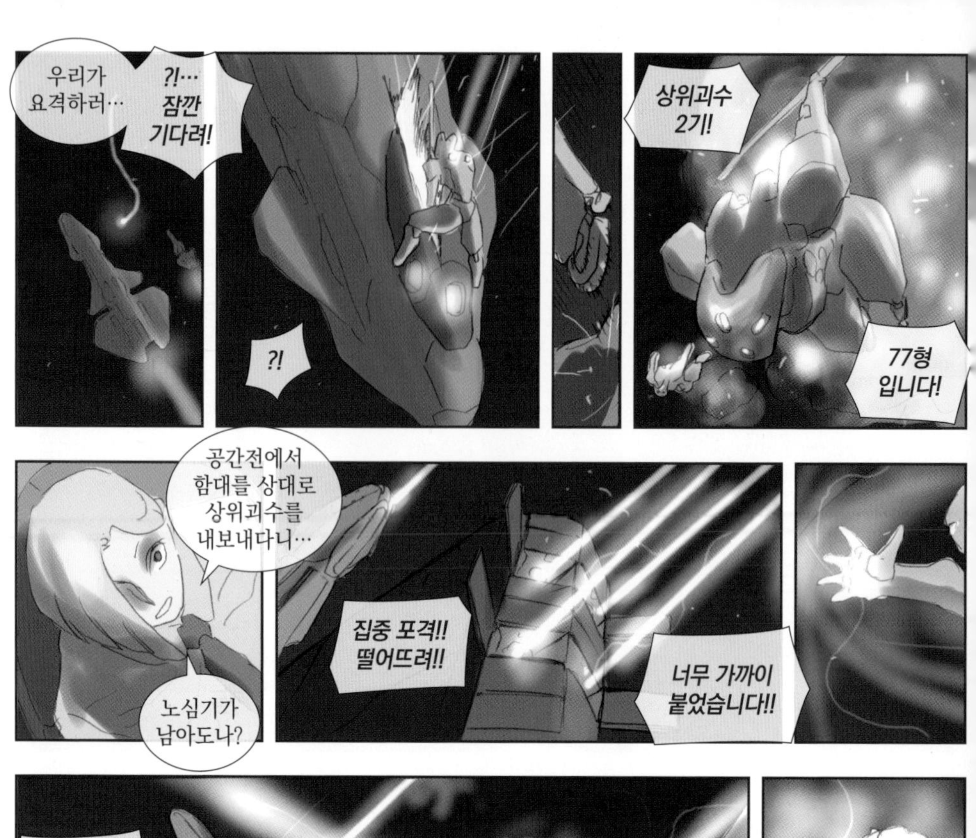
우리가 요격하러…
?!… 잠깐 기다려!
?!
상위괴수 2기!
77형 입니다!
공간전에서 함대를 상대로 상위괴수를 내보내다니…
노심기가 남아도나?
집중 포격!! 떨어뜨려!!
너무 가까이 붙었습니다!!

어떻게든 떨어뜨려!!
제길 어느 틈에 이렇게 거리를 좁힌 거야?
치직!

1기 다운!!
1기는 아직!!!
펑

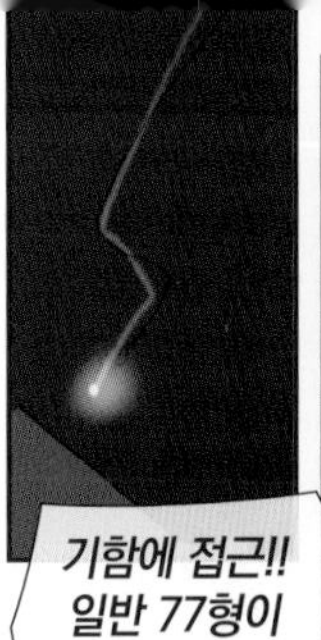
기함에 접근!!
일반 77형이
아닌 것 같다!!

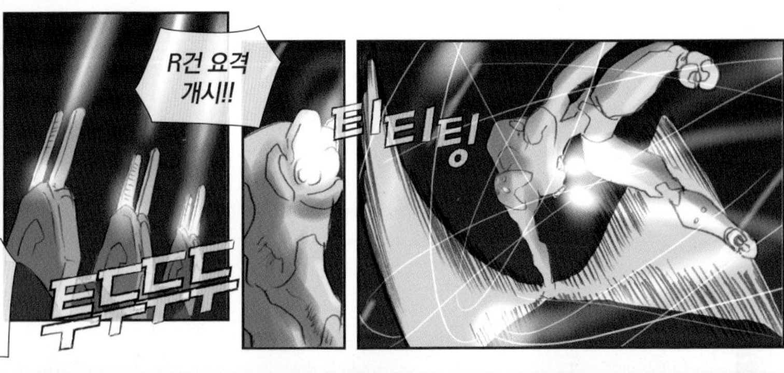
R건 요격
개시!!
투두두두
티티팅

쿠아
놓쳤습니다!!
약해진 상부 실드를
뚫고 침입!!
기껏해야 1기다!
어떻게든…!!

쿠우
메인 노즐로
향하는 듯합니다!!
타나토스
접근을 위해
발을 묶겠다는
속셈이다!
막아!!

안 열리고
난리야!!

준비되셨습니까
기사님?
물론.
잘 던져.

제가 왕년에
리틀 리그
에이스였습니다!

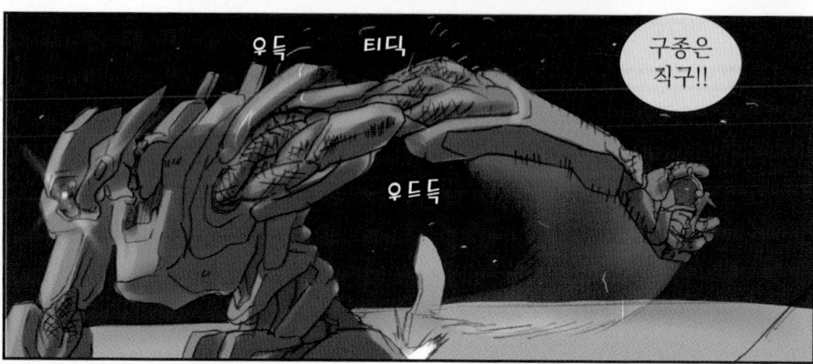
우득
티딕
우드득
구종은
직구!!

핑

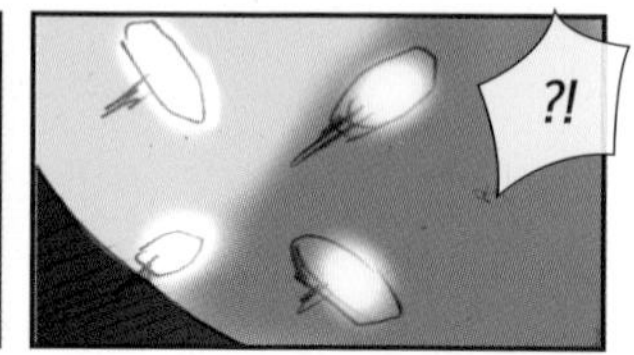
?!

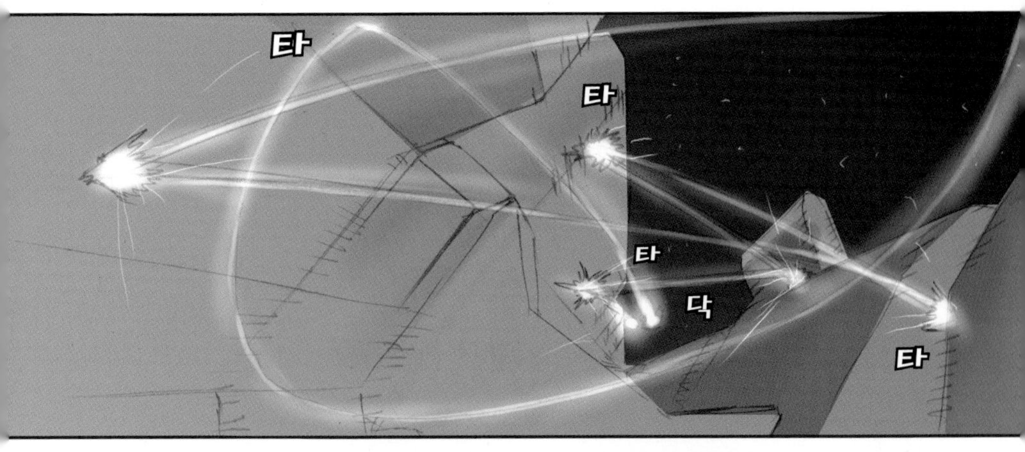
타
타
타
닥
타

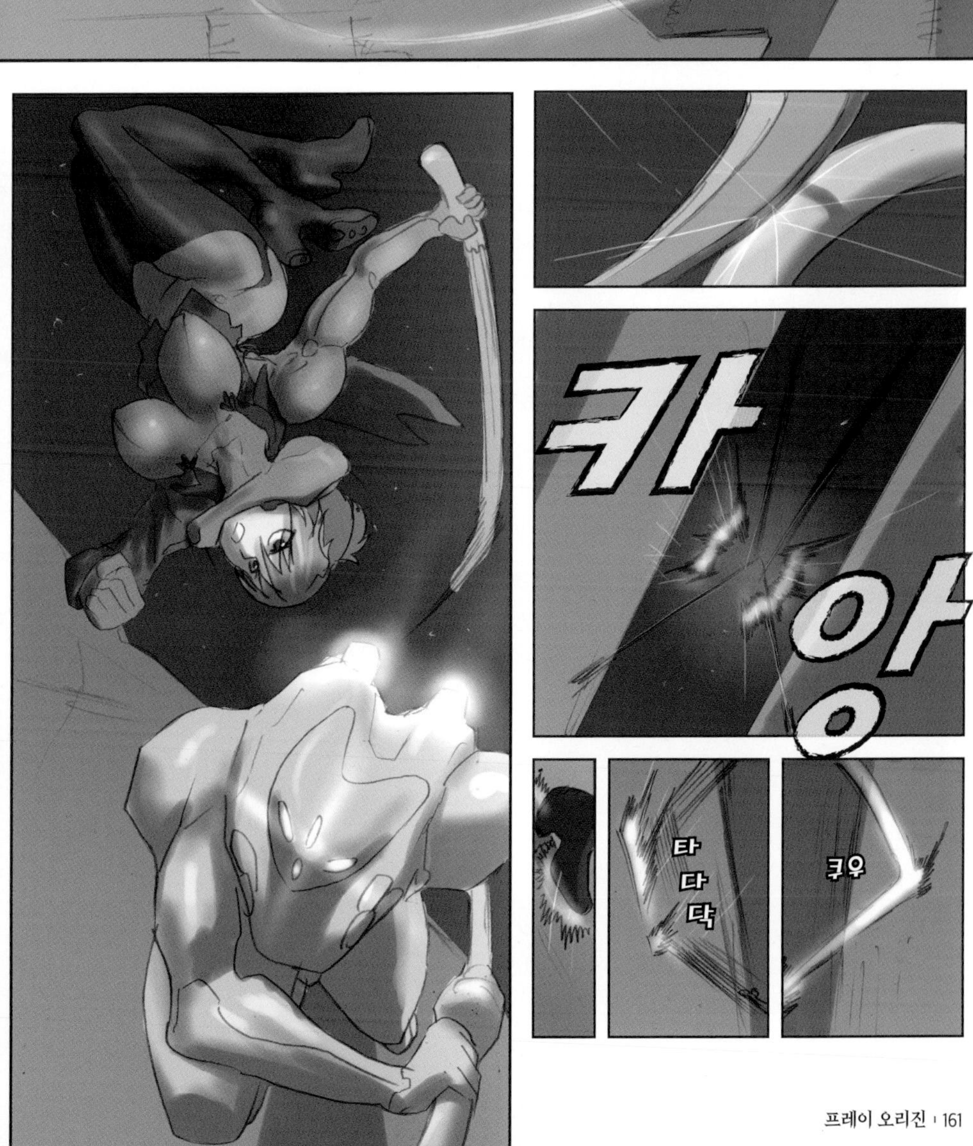
카
앙
타
다
닥
쿠우

카
앙
으득
촤
악

Lightning Beat

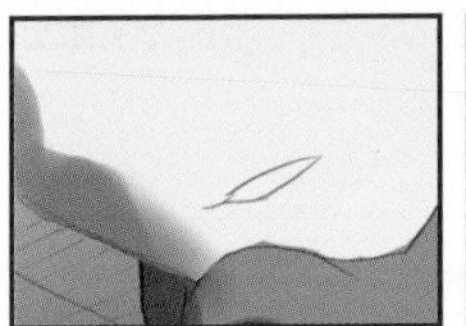

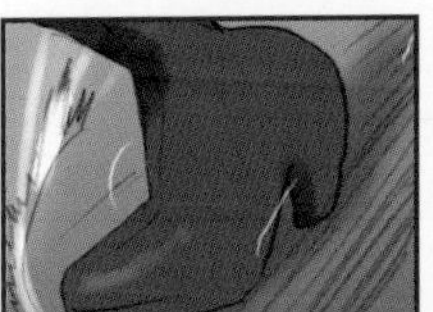

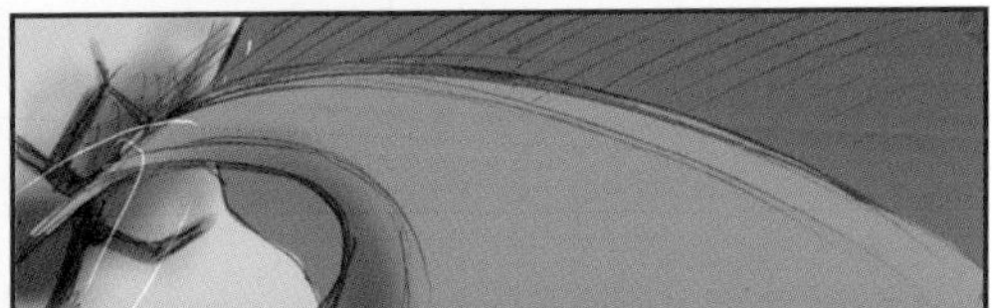

파
아

쿵

…

타나토스…

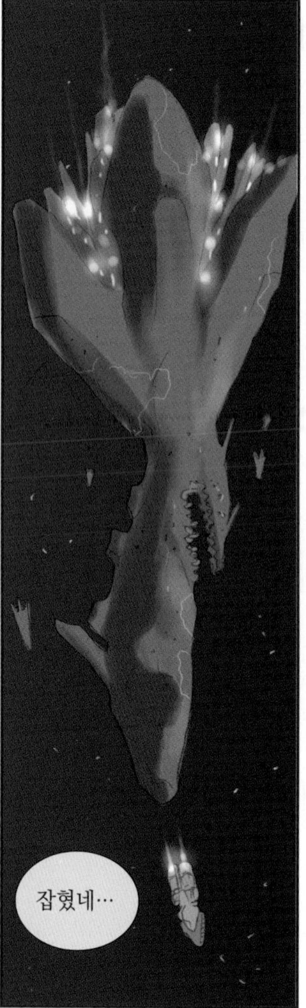
잡혔네…

결국…

더 이상 뿌리칠 수 없습니다.
죄송합니다.
음… 여기까진가 보군…
그런 것 같습니다.
부함장.

수고했다.
자넨 내 최고의
부함장이었어.

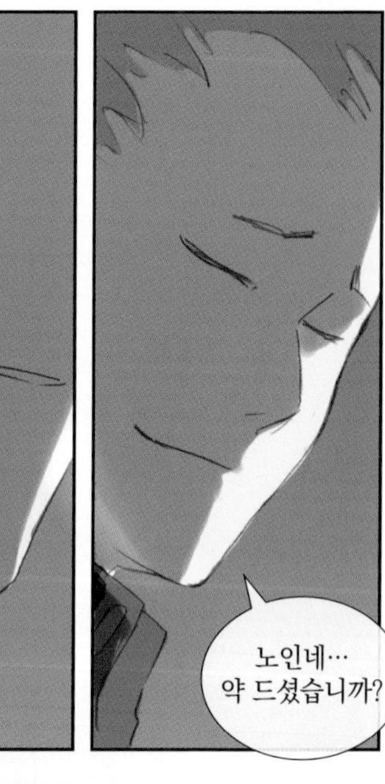
노인네…
약 드셨습니까?

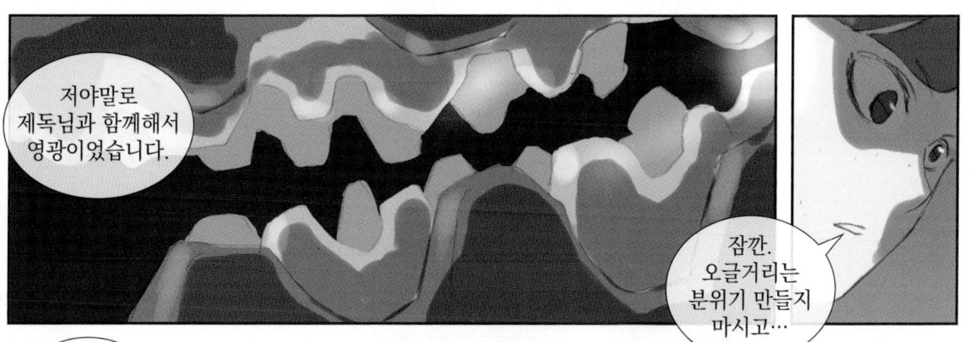
저야말로
제독님과 함께해서
영광이었습니다.
잠깐.
오글거리는
분위기 만들지
마시고…

워프마커
좌표 정보
공유 중.
누군가
워프마커의
좌표 정보를
읽고 있습니다!

뭐?!

키이잉

정체불명 함
워프 아웃!!
IFF 확인…
이건?!
알키오네?!
전 포문 개방.

적을 섬멸한다.

Aye aye, sir.
전 포문 개방.

타겟 락온.

FIRE!!!

우왓!!!!

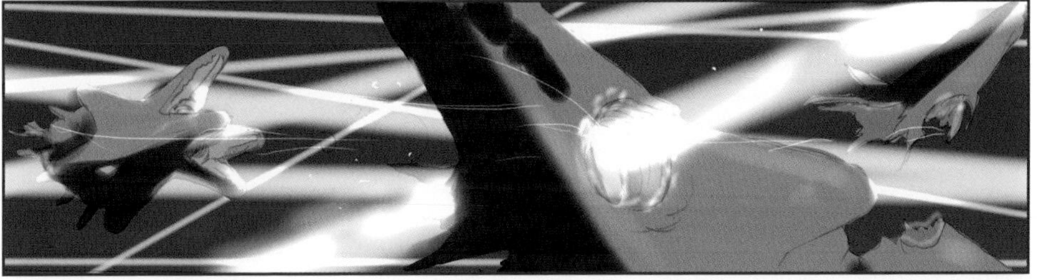

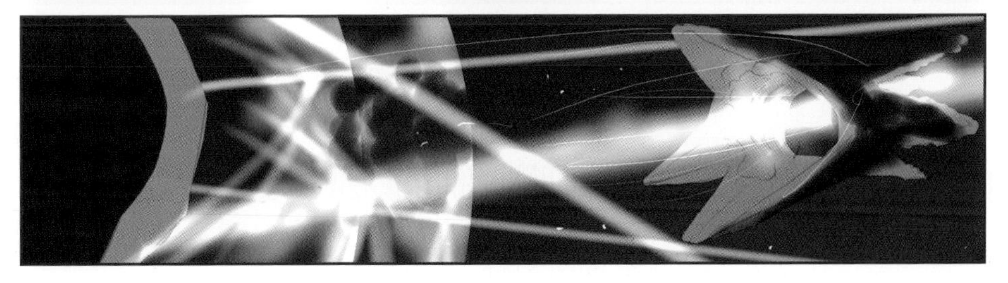

…설마…
적 80% 섬멸.
타나토스의 실드도 전면부에 균열이 생겼습니다.
SCR 드라이브 가동.
Roger, sir. Everything is under control.
장기전은 불리하니 지금 승부를 건다.
몰.
대빔 아머가 없는 포구로 들어간다!
가속.
실드 균열 통과 성공.

주각이
덮칩니다.
좀 흔들릴
겁니다.
꽉
잡으세요!
안전운전
안전운전!!

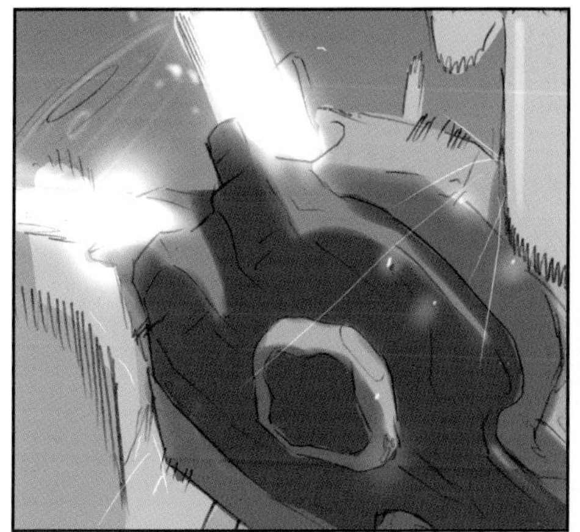

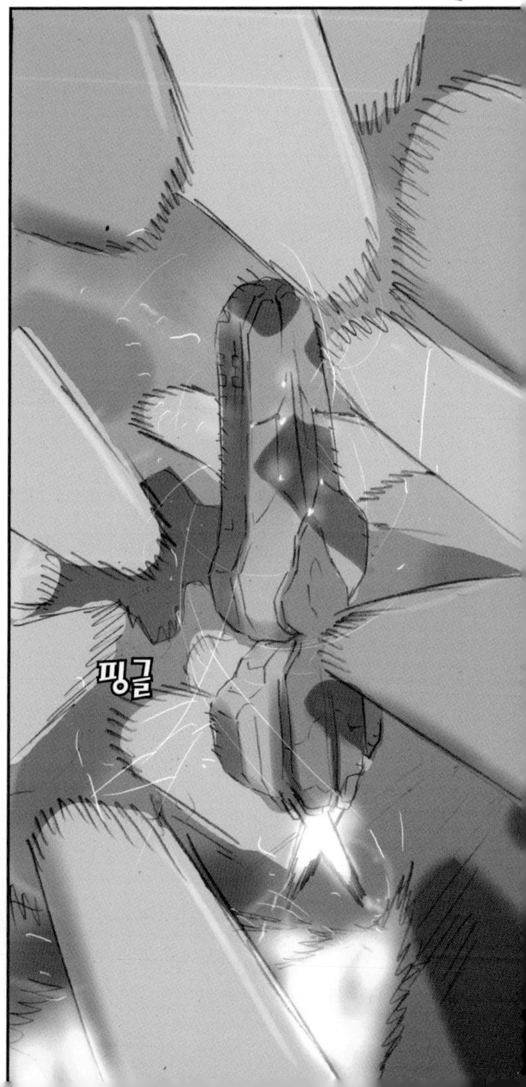
핑글

키링
키기

이건 서커스가 따로 없군!

제가 주차 하나는 잘하죠.

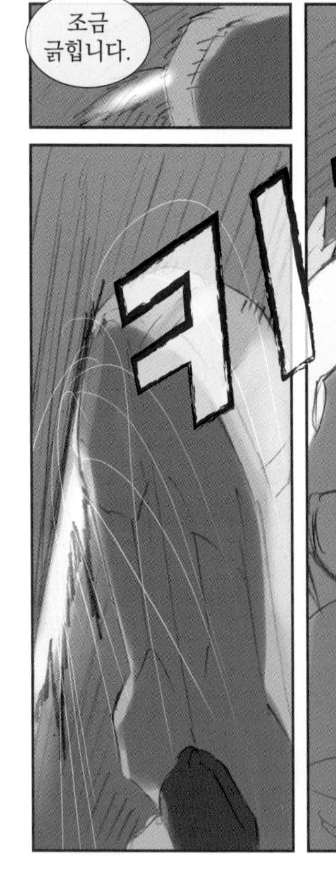
조금 급합니다.
키

기
기
기
기
기
기

최심부에 도착.
코어 탐색.

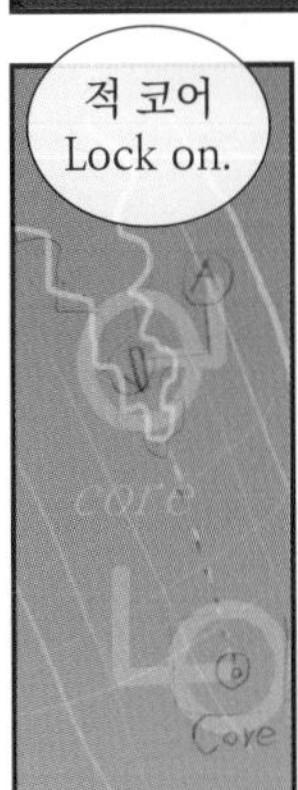
적 코어
Lock on.
core
core

방해물은
없습니다.

한 방 먹여!!!
폭발 대비!
실드 최대!
관성중화치
최대!

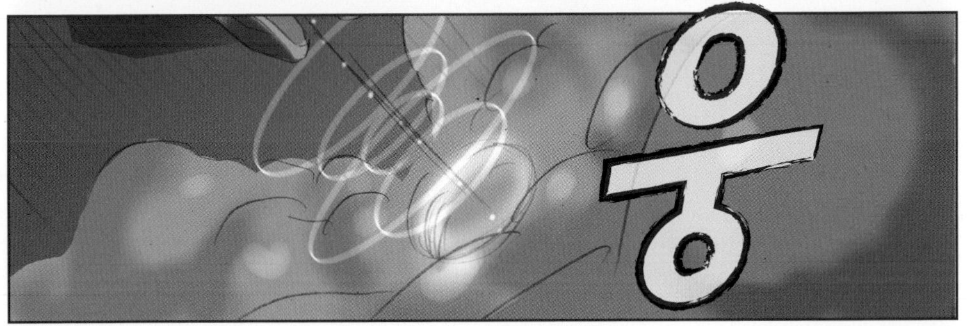
웅

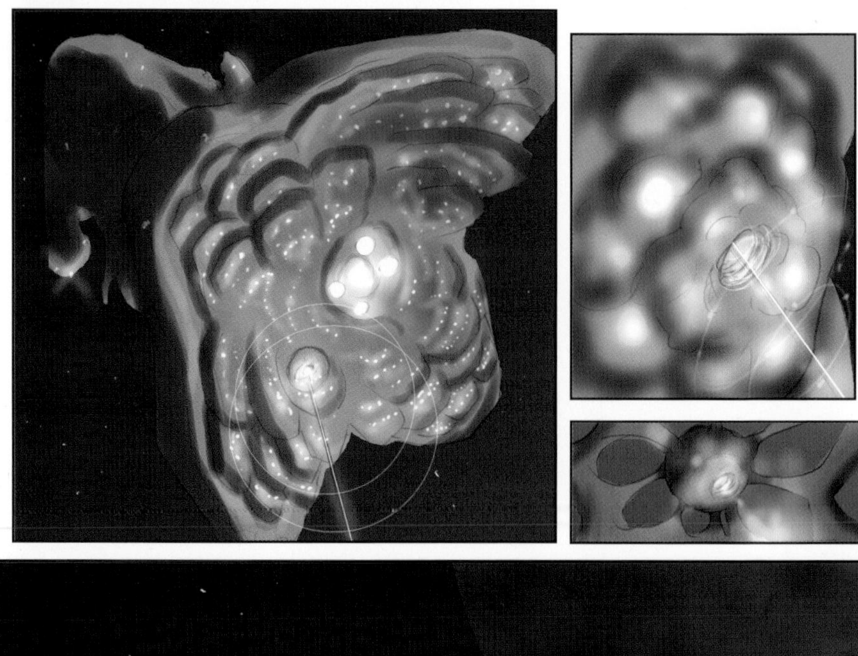

저거 내가
만들라고
시킨 거다.
알키오네
기획안 올린 사람
전데요.
아 그리고
아까 한 말
취소.
어차피
뭐라고 했는지
기억도 안 나요.

투린 이민선단도
합류하고 제7콜로니를
기지로 삼고 있었다니
나름 전력은 갖추고
있었네요.

네가 이렇게
반가울 수도 있다니
신기하군 앤.
반갑습니다.
기사님.

뭐 대충
반갑다
칩시다.
말하는
싸가지
하고는.

혹시나 했는데
역시나 생명력은
바퀴벌레 못지
않네요 제독.

적의 침공이
외부 성계로
분산돼서 겨우
목숨이 붙어있는
거겠지…
앤!!

앤!!!
?!

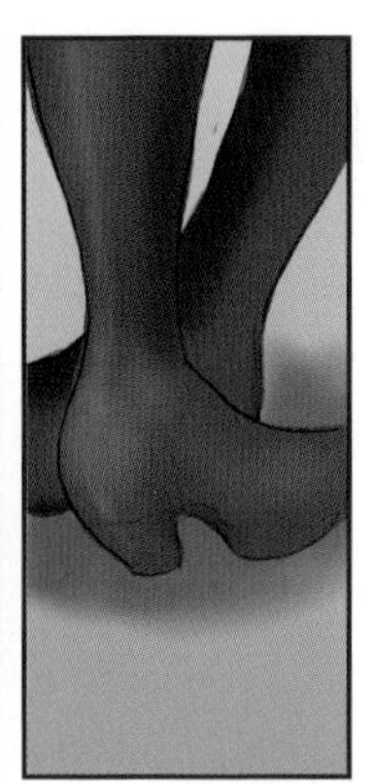

…앤……

돌아왔구나… 앤.

질…
무사했구나.

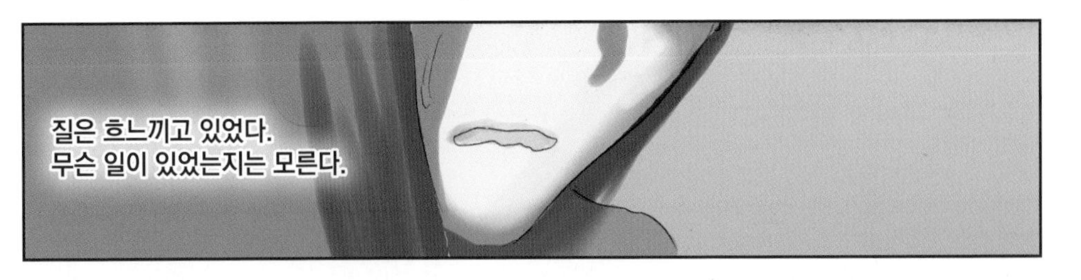
질은 흐느끼고 있었다.
무슨 일이 있었는지는 모른다.

그녀 역시 기사로서
나처럼 많은 일을 겪었겠지…
늘 침착했던 질도 그동안 눌러왔던
여러 감정들을 반가움과 함께 쏟아낸다.

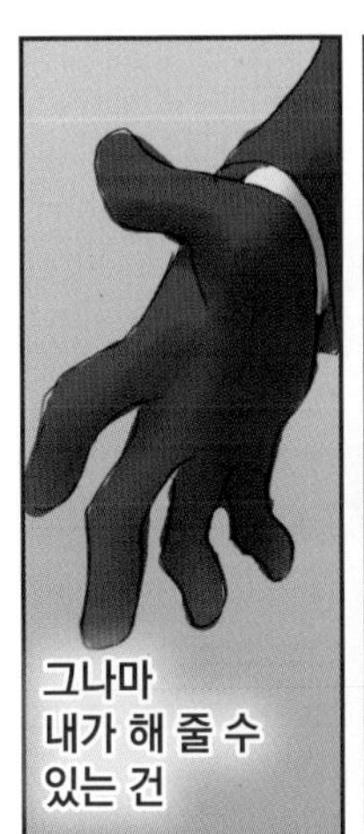
그나마
내가 해 줄 수
있는 건

함께 안아 주는 것뿐.
그래
돌아왔어.
질.

아린에 돌아왔다.
친구의 온기를 통해 비로소 그 사실을 실감한다.

……

저기… 여기가 어디죠?

아린이죠.
…중앙기사단이 완전히 발린 걸로 유명한 그 아린? 무진장 센 괴수가 왕창 쌓여 있다는 그 아린… 맞습니까?

잘 알고 계시네요.

…중령 아저씨 저 아저씨 울어요.
내버려 둬. 남자도 가끔 울고 싶을 때가 있단다.

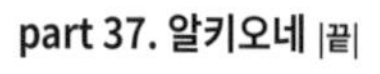
part 37. 알키오네 |끝|

part 38

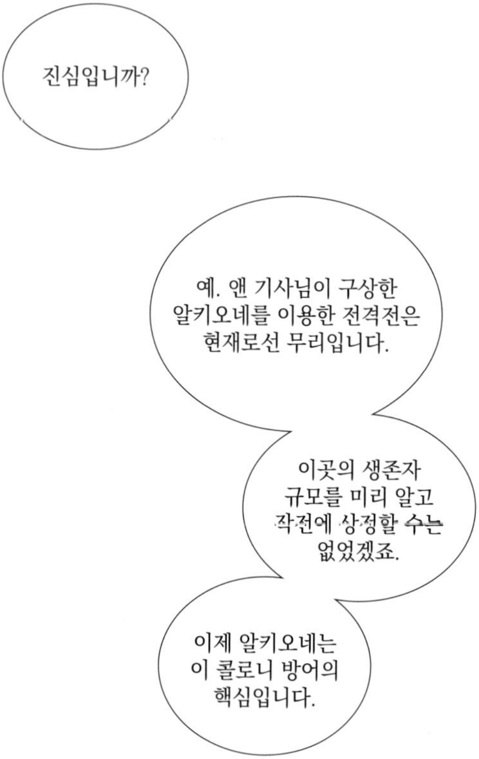

진심입니까?

예. 앤 기사님이 구상한
알키오네를 이용한 전격전은
현재로선 무리입니다.

이곳의 생존자
규모를 미리 알고
작전에 상정할 수는
없었겠죠.

이제 알키오네는
이 콜로니 방어의
핵심입니다.

앤 기사님을 내려보내기 위해 미끼로 쓸 함은 부족하고요.
벨치스의 영웅이라는 명성은 익히 들어 알지만…
그분을 내려보낼만한 가치는 분명… 있는 거죠?
앤은 어떤 상황 속에서도 늘 이겼어요.
그럼…
전 여기에 겁니다.
모든 걸 다 잃고도 아무것도 하지 못한다면
제 자신을 용서할 수 없을 겁니다.
전 이제 확신합니다.
우리가 움직일 때라는 것을요.
제독님.
AE 콜로니공사 아린성 대표로서 정식 작전 제안입니다.
제안을 받아들여 주세요.
……

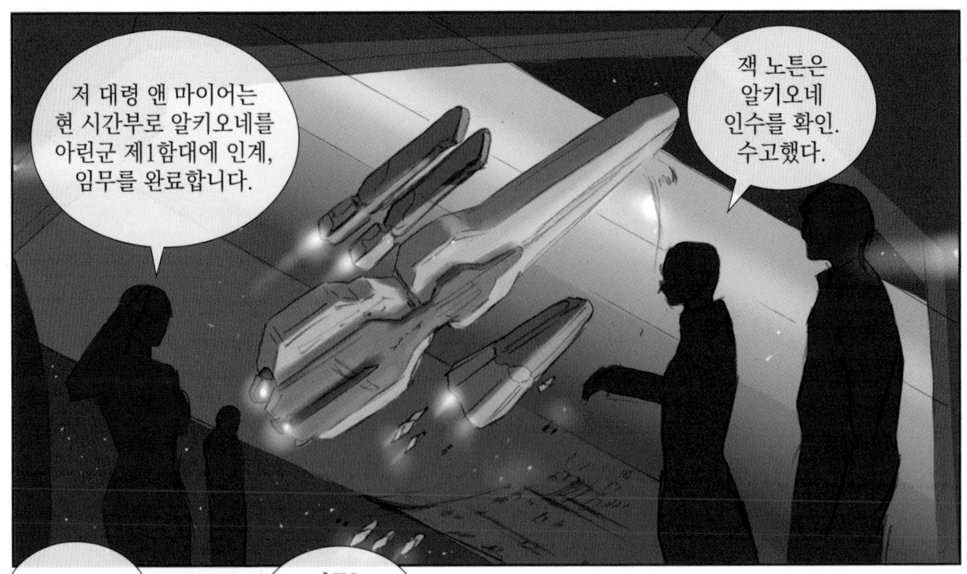
저 대령 앤 마이어는
현 시간부로 알키오네를
아린군 제1함대에 인계,
임무를 완료합니다.
잭 노튼은
알키오네
인수를 확인.
수고했다.

뭐 나름 좋은
핑계였어요.

임무는
핑계가 아니야.
이 가짜 군인.
워프함이라
전략의 폭이
확 늘었어.

오, 네가
알키오네의
항해사구나.

…

…

그냥 대령님이
함장 하시면
안 돼요?
?!
저쪽은 비주얼이
너무 딸려서
알키오네의 품격이
현저히 떨어져요.

재가 지금
무슨 말을…
풉.

제독.
빡

지상은…
어떤가요…?

…

아수라장이지.
침식 말기야.
그 상태의
행성이 어떤지는
알지?
말기…

이미 아린은
죽음의 별이야.
근처 소행성도
모두 당했고
생존자는 1%
미만으로
예상한다.

마누라가
그 1%에 포함되길
그저 늘 기도하는
수밖에…
하프도 못 켜는데
저 지옥까지 가서
마누라 데려올
깡도 없고…
저런 데 내려가
싸울 인간은 너나
드라이 정도지.

내려가겠다면
힘은 보태마.

작전안은
네 2번안을 바탕으로
내가 새로 짜겠어.
좀 쉬고
10시간 후에
다시 올라와.

이제 아린의
흔적은 이 콜로니가
전부일지도 몰라…
네가 좋아하는
아린산 맥주도
여기 창고에 있는 게
마지막일걸?
몇 년 치
챙겨가야겠군.

네가 와 줘서
모두 희망을
되찾고 있어.
넌 언제나
날 너무
과대평가해.
그나저나…
침입이
있었던 곳치고는
너무 조용한데?
투린 이민선단이
대다수의 사람들을
데리고 갔어.
그래…
현재 이곳은
단순한
거점이야.
그들이 무사하도록
여기서 괴수의 시선을
끌고 있지.

T드라이브 항행으로
현재 옆 성계인 파즈로
향하고 있어.
알키오네가
단체 워프 기능까지
완전 복원 됐으면
좋았을 텐데.

여기는 좀
추울 거야.

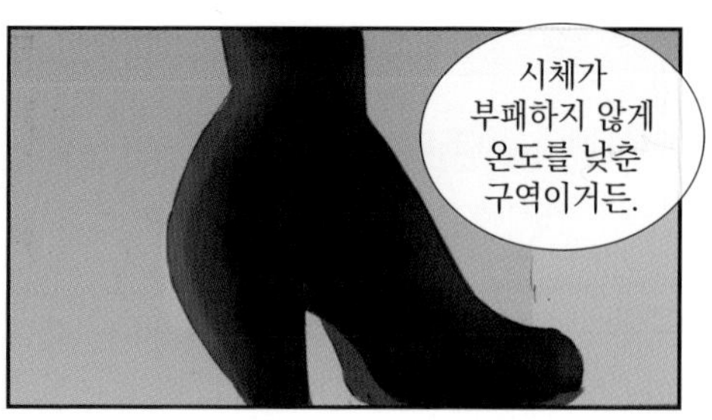
시체가
부패하지 않게
온도를 낮춘
구역이거든.

시민과 군인이
만 명 이상 여기
누워 있어.

하지만
시신도 찾지 못한
실종자는 그
수십 배야.

이제는 모두
지쳐있어.
거리도
이민선이
오기 전까지는
폭동으로
엉망이었어.

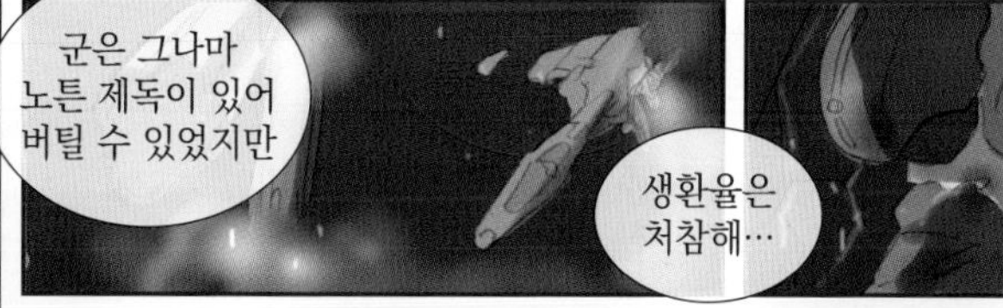
군은 그나마
노튼 제독이 있어
버틸 수 있었지만
생환율은
처참해…

지금은
항공 자격증만
있으면
오퍼레이터든
학생이든 몽땅
동원되고 있어.

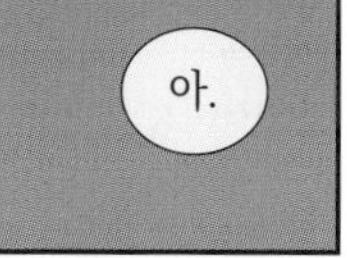
아.

이거… 전부터
네가 구하려던
책 맞지?
이건…
앤!
이거 봐라~!
이 책은
말이야…
초록 지붕의
앤…
얘기 듣고
나도 찾으려 애썼는데
알렌이 어떻게 알고
내 생일선물로 주려고
여기저기 수소문
했었나 봐.
…고마워.
꼬옥
그러고 보니
알렌도 다행히
우주에 있었지.
고맙다고
전해 줘.
…그럼…
잠깐 같이
보러 가자.

Allen Mckellen

하지만
괜찮아.

여긴 모두
같은 처지의
사람들이
아픔을 딛고
일어서는 법을
배우는 중이니까.

미안.
이렇게 부담
주려고 온 건
아닌데…

다만 마음을
다잡고 싶었을
뿐이야.
슬퍼하는
것만으로는
아무도 구할 수
없잖아.

이 오랜만의
여유를
즐기자고.
타나토스를
해치운 이후 별다른
적의 움직임은 없어.
우리가 큰 위협은
아닌 거겠지.
즐길 게 뭐가
있어야지…
그건 그래.

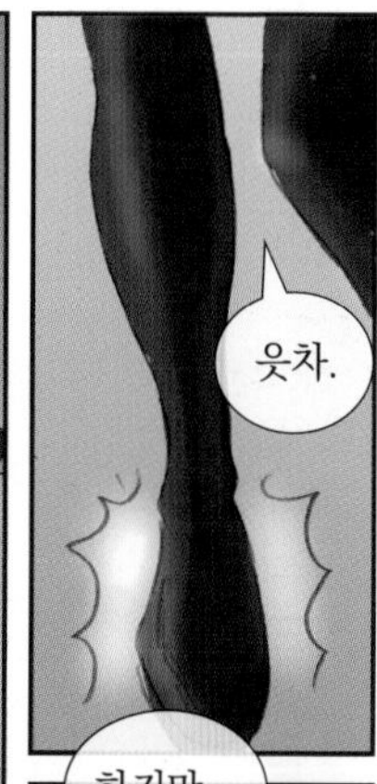
웃차.

하지만…

앤을 독차지할
다시 없을 기회를
놓칠 순 없지~
학생 때는
무서운 고양이가
붙어있었고
커서는 쓸데없이
유명해져서는…
오늘만은
내 거다 앤.
이 비싼 녀석
같으니…

고마워.
너무 신경
안 써 줘도
되는데…

아니.
나도 이렇게
앤과 함께 있으면
우울한 기분이
사라지는걸.

…질…
작전 시간까지
얼마 안 남았어!
막 돌아
다니자~

결국 온 게
놀이터네.

그래도
작전실보다는
나아.

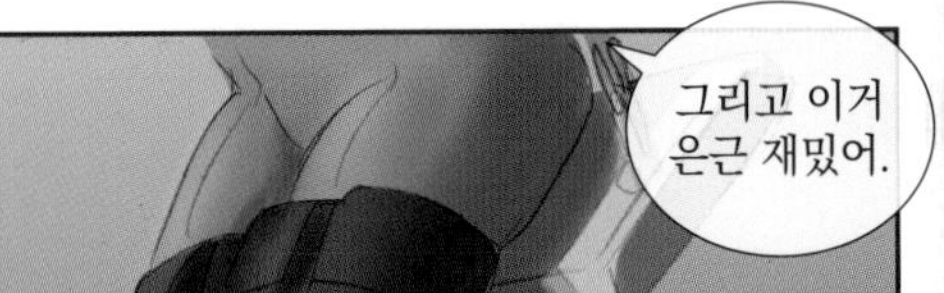
그리고 이거
은근 재밌어.

나 사실 그네
타 보는 거 이게
두 번째야.
하긴 중앙에서
그네 탈 일이
어디 있겠냐만…
그전에도?

알다시피
난 투린
난민이었어…

3살 때부터
난민 생활을 해서
놀이터는 거의
구경도 못 했지.

어느 날 반쯤
망가진 그네를
보고는

예전에 본 영화에서
여주인공이 그네 타던
모습이 떠올라
엄마한테
떼를 썼나 봐.

돌아가신 할머니가
엄마에게 선물했던
하나밖에 없는
목도리가 쓰였어.

정말로
즐거웠어…
매일매일 공포에 떨며
피난만 다니던 중에
그렇게 웃어본 건
오랜만이었거든.
내가
웃으니까
엄마도
웃었어.
그 웃음을
지키려고 기사가
되고 싶었던
걸지도 몰라…
질…
잠깐만…
품에
안길게…
난
약해…
지켜야 할
사람을 지키지
못했어.
하지만
너라면…
할 수 있어
분명…
질?
아니.
아무것도
아니야.
잠시
눈 좀
붙이자.

우리 반에서 살아남은 건 이제 너와 나뿐이야. 우리 동창회 모인 셈이네.
뭔소리야… 근데 화장 안 지우고 자도 돼?
나 쌩얼이야.
진짜? 딴 건 몰라도 인공 피부는 좀 부럽네…
이 이질감을 모르니까 하는 소리지 그건.

간 적 없거든? 10년 전 차우린 전투에서 6개월 동안 흙바닥에서 같이 자던 것만 생각난다. 춥다고 서로 끌어안고
이러고 있으니 꼭 수학여행 온 것 같다.
결혼생활을 상상하곤 했었지.
그거 재밌었는데.

…그런데 그때나 지금이나 솔로인 건 똑같네.
그때 계획이라면 지금쯤 아이 셋은 있어야 할 텐데…
… 그나저나
제독도 너도 결국 프레이에 관해선 아무것도 안 묻는구나.

너도… 아프잖아.
앤이 곤란해 할 걸 아니까…

무슨 수를 써서라도 둘이 만나게 해 줄게.

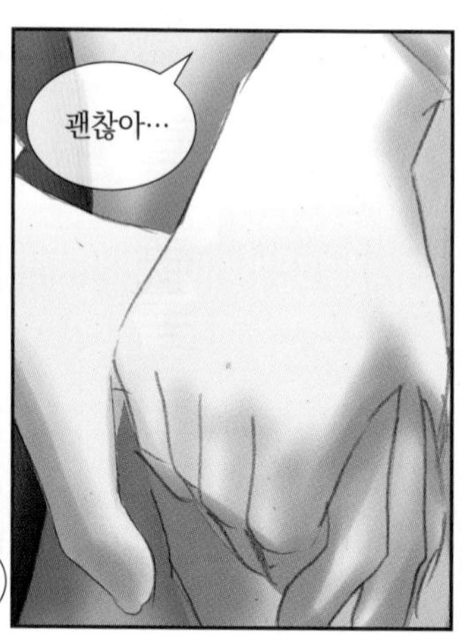
괜찮아…

…
질…

난 사실
둘의 모습이 마치
그때의 우리 가족을
보는 것 같아서
정말 좋았어.
그리고 난
두 사람 덕분에
이렇게 살아 있지.
그러니
어떻게 둘을
미워하겠어…
소중한 사람을
지키는 건 아무나
할 수 있는 일이
아닌가 봐.
그래도 내가 넌
꼭 지켜낼게…
그러니까
질이 한 말의 의미를…
앤은 모두를
구해줘….
이때는 정확하게 알지 못했다.

그럼
가 볼까.

이때의 나는 내 할 일만 신경 쓰기에도 벅찼으니까…

part 38. 어떤 결의 |끝|

part 39

Knight Run

투린 이민선단이
남긴 노튼함의 후계기
파이람 6기와 기함이
엄호하는 동안
우리는
이 소규모
편성으로
강하한다?

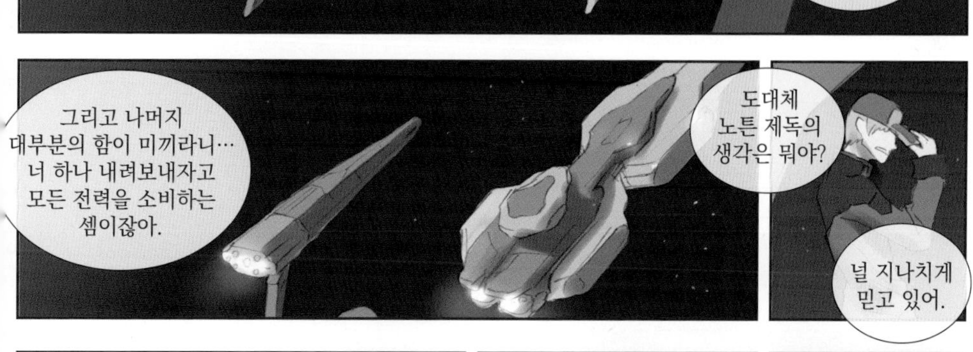
그리고 나머지
대부분의 함이 미끼라니…
너 하나 내려보내자고
모든 전력을 소비하는
셈이잖아.
도대체
노튼 제독의
생각은 뭐야?
널 지나치게
믿고 있어.

아린도 납치하듯
데려오더니 이젠
괴수 둥지 한가운데
기사를 떨구라니…
저런
전투인형이랑
둘이서 뭘 할 수
있다는 거야?
중요한 건
네가 할 수
있느냐
없느냐야.
이유도
말 안 하고
…
무조건
가겠다는
거야?
그래…
반드시.

동료의 복수나
기사의 사명 같은
이유는 아니야.
내가
앤 마이어로서
반드시

마주해야 할
일이 있어…

망할
녀석…
따라와.

기기기
쿠

함장님.
작전 개시에 앞서
오렌민에 내 비성을
들려주게 되는군.
행운으로 알아.
부함장의 딱딱한
설교는 작전
개시도 전에
다 졸게 만들 테니
내가 나섰다.

곧 싸움이
시작된다.

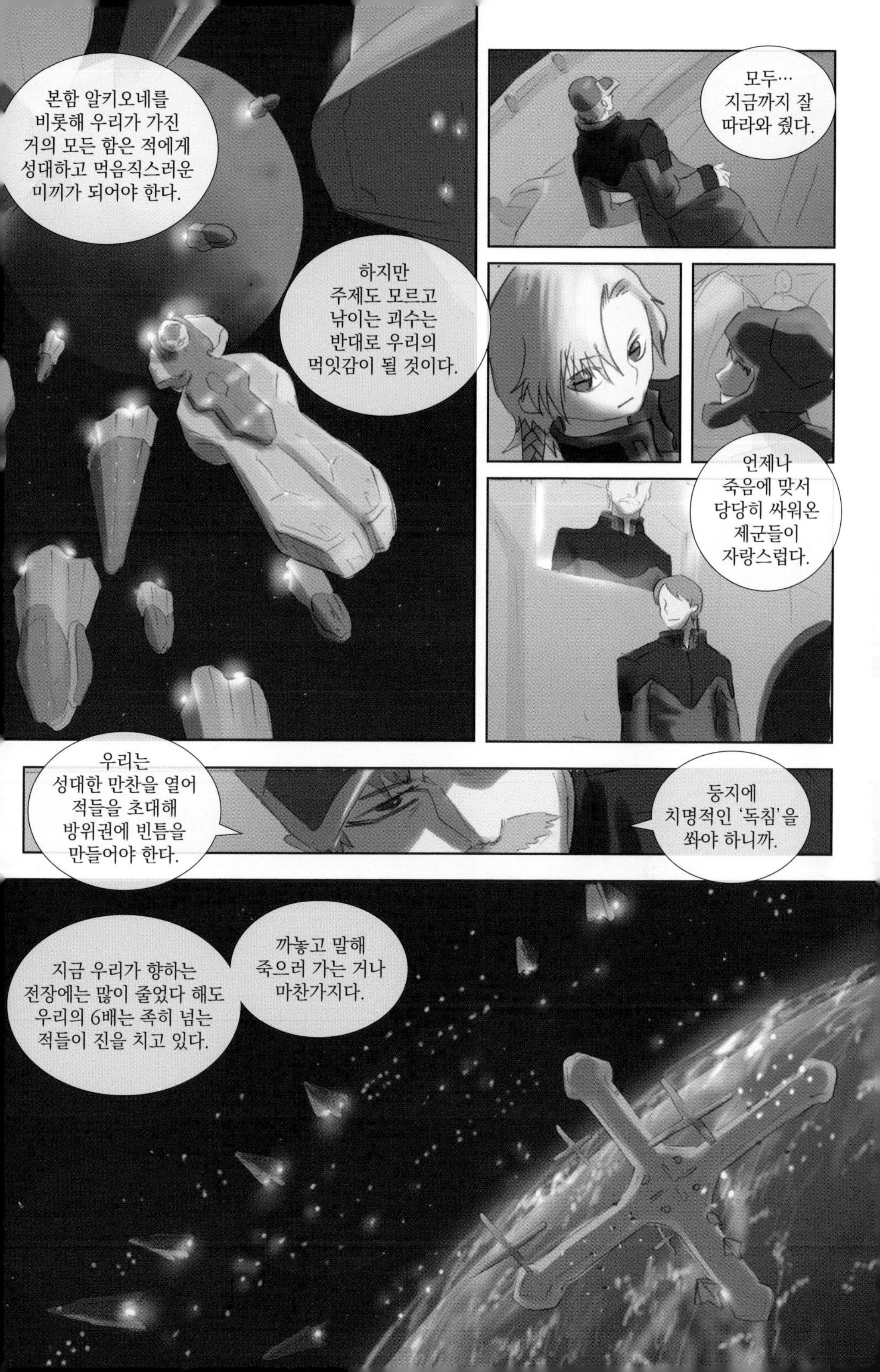
본함 알키오네를 비롯해 우리가 가진 거의 모든 함은 적에게 성대하고 먹음직스러운 미끼가 되어야 한다.
하지만 주제도 모르고 낚이는 괴수는 반대로 우리의 먹잇감이 될 것이다.
모두… 지금까지 잘 따라와 줬다.
언제나 죽음에 맞서 당당히 싸워온 제군들이 자랑스럽다.
우리는 성대한 만찬을 열어 적들을 초대해 방위권에 빈틈을 만들어야 한다.
둥지에 치명적인 '독침'을 쏴야 하니까.
지금 우리가 향하는 전장에는 많이 줄었다 해도 우리의 6배는 족히 넘는 적들이 진을 치고 있다.
까놓고 말해 죽으러 가는 거나 마찬가지다.

하지만
걱정 마라.
나도 가니까.

이런 임무를
맡기는 내가
야속하다면
삼도천에서
날 만나거든
내 뒤통수를
후려갈겨라.

난 이기기 위해…
누군가를
믿기로 했다.

마스터~

콕핏, 엔진,
중추 프레임 외엔
모두 현대화 장비로
갈아치웠어.
봇 시스템은
제거해서 실험기의
불안정한 부분은
모두 해결됐어.
하는 김에
아린 방위군 컬러로
도색도 했고.

기사님,
행운을
빕니다.

한 방
먹이고
오세요.

난 그가 해내리라 믿는다.
내 판단을… 믿어 줬으면 좋겠다.

도망치고 싶은 마음도 있겠지.

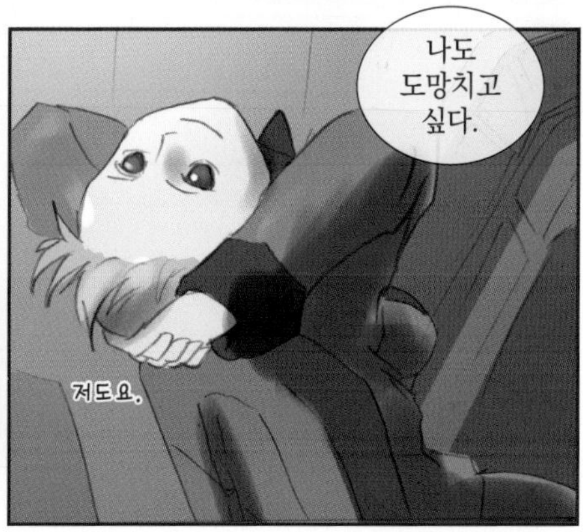
나도 도망치고 싶다.
저도요.

각자 싸우는
이유가
있을 거다.

하지만
애써 군인 정신을
강조할 생각은
없다.
군인이기
이전에…

우리는
인간이다.

그저
살아남은
인간으로서…
살아남을 인간을
지키고 싶다는

인간으로서의
긍지를…
버리고
싶지 않을
뿐이다.

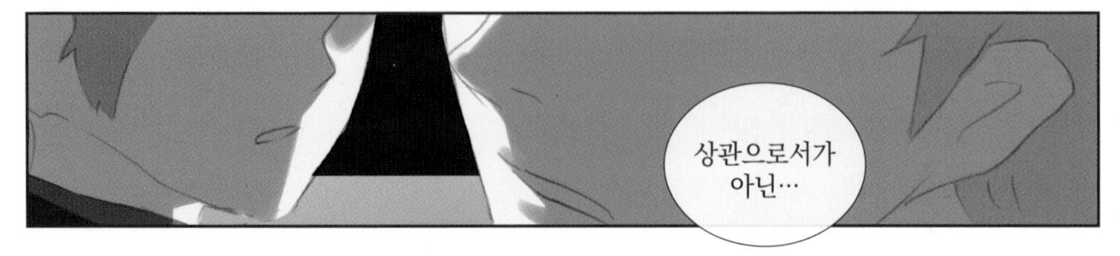
상관으로서가
아닌…

한배를 탄
전우로서 부탁한다.
함께 싸워다오.

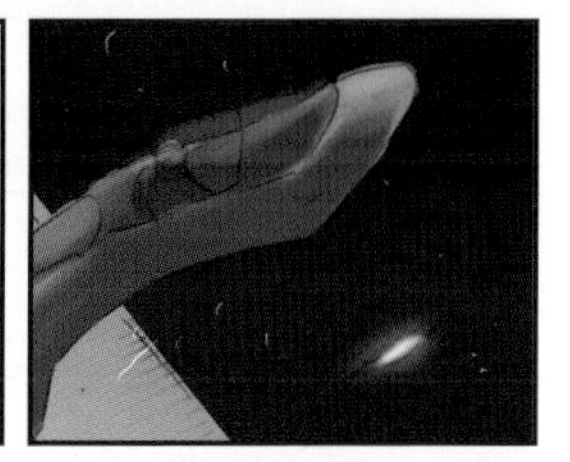

그럼 가보자고
자식들아!!!

앤.

시작됐다.

적 병력의
이동을 관찰,
원군으로 빠지는
구역의 빈틈을 찾아
강하궤도를
계산한다.
…

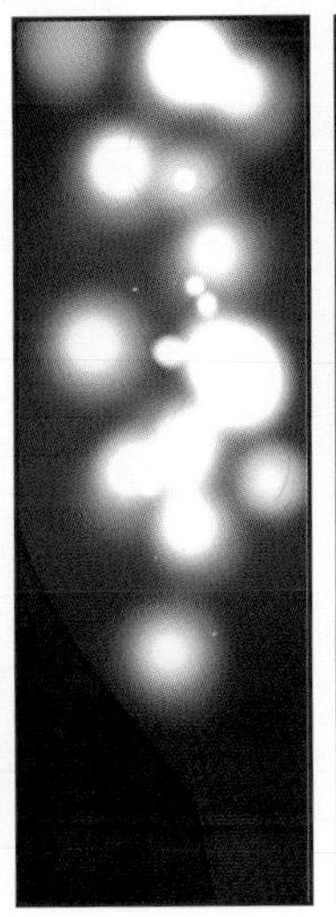

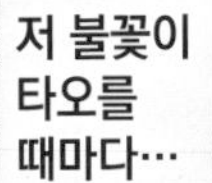
저 불꽃이
타오를
때마다…

마스터?

하나하나의
인생과

미래가
사라진다…

그 누구의
생명이 존귀하지
않겠는가.
그리고 나는
타인의 희생을
동력으로 삼아
저곳에 내려간다.

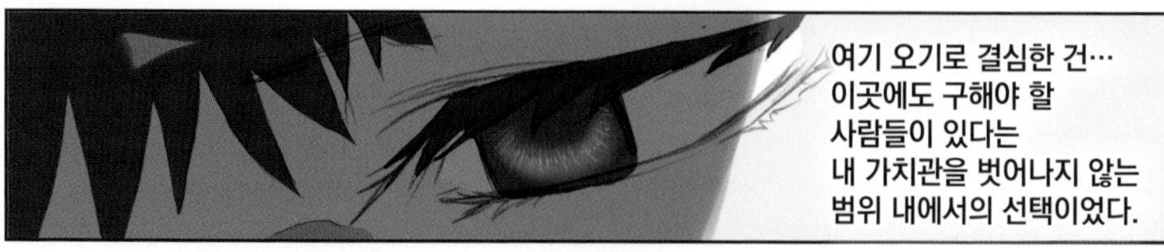
여기 오기로 결심한 건…
이곳에도 구해야 할
사람들이 있다는
내 가치관을 벗어나지 않는
범위 내에서의 선택이었다.

그러나
수많은 생명을
태워 내려간
저곳에서도
나는…
옳은 선택을
할 수 있을까?

…?

잠시 전투 영상을
확대하겠습니다.
야 멋대로
시스템 해킹
하지 마.

…?!

저건…

제7콜로니가 가속하고 있어. 설마…
현 병력으로는 방위 공백을 만들기는 어렵다고 생각했는데… 저걸 떨어뜨릴 생각인 건가?
혹시…
적이 제일선 함대를 뚫기 전에 조금이라도 더 가속해야 해.
안정기가 한계라 필드가 못 버팁니다.
블랙홀 엔진 최대. SCR드라이브도 최대로 올려.
알키오네 자체의 사양은 그렇지만
워프 가능 이민선인 제7콜로니의 필드안정기를 이용하면
대전쟁 이전의 고(古)함에 가까운 출력을 낼 수 있어.
군사 콜로니를 거점방위 병력만으로 막기는 어려울걸.

주위 가디언 및
실퍼드급까지
움직이기
시작합니다.
제독!!
무슨 생각을
하는 겁니까?

적은 이미
브리짓까지
생산하고
있어요.
전자전이 가능한
강습형 괴수에게
이런 거체는 쉬운
먹잇감이라고요.

상위괴수가
콜로니에 침입해
콘트롤 룸을
제압할 겁니다!!

여기 괴수는
인간의 시스템을
이해하고 있다는 거
아시잖아요!!
대비는
했으니 소란
피우지 마.

콜로니
메인시스템인
3기의 AI는
강제 종료.
베테랑 인형들과
스페셜리스트가
완전 수동으로
제어하고 있다.

미안해 모두.
이런 데
끌어들여서.

유나 때문에
당신이 질질 짜는 게
슬슬 짜증나던
참이었어요.

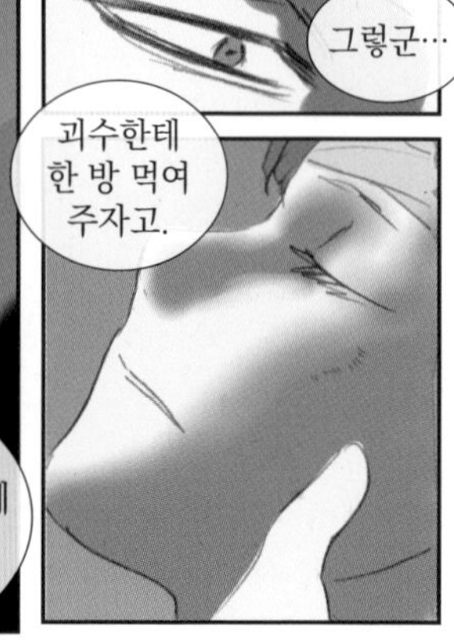
그렇군…
괴수한테
한 방 먹여
주자고.

3번 함 다운.
콜로니 방어함이
공격당하고
있습니다.
34구역.
6기의 강습형
괴수가 실드를
뚫고 있습니다.
하지만 이렇게
전면 방어가
취약한 상태에서
상위괴수를
어떻게…
…
설마?

싱글넘버
출현!!
5형!!
타입 감마!!
이 타입은
위험합니다!!

펑

싱글넘버 외벽을 뚫고 침입!!

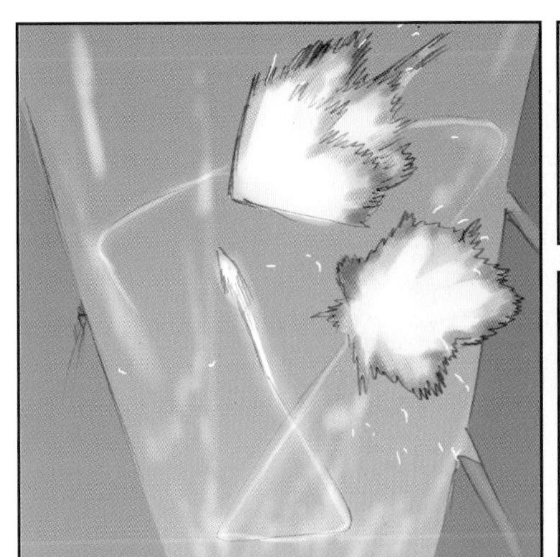

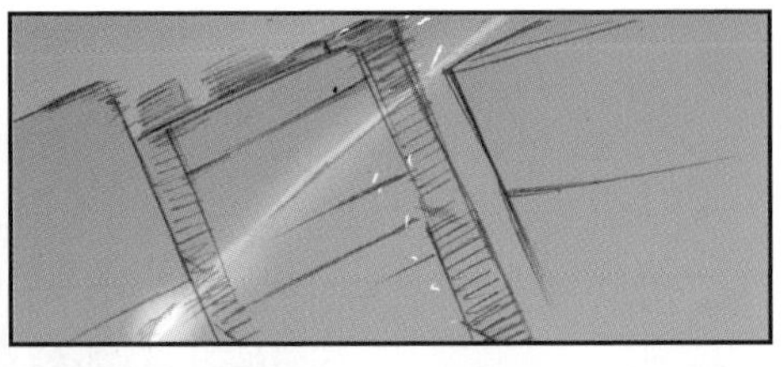

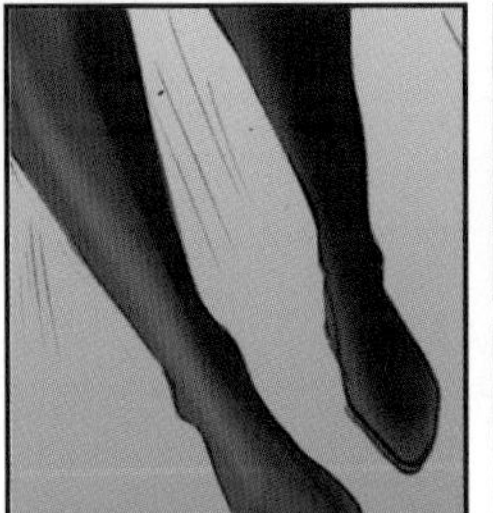

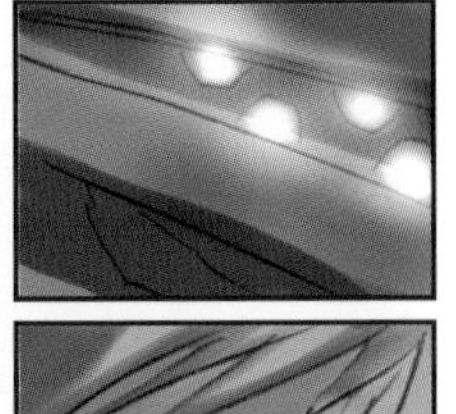

키기기기

지킬 수 있어.

DC코트를 걸친
루인사의 비비드 타입
인형과 질.
이 콜로니는
그들이 지킬 거야.
이런 자살 공격에
내부에서
방어전이라니…!!
이래서는 질이나
내부 제어 인원의
생존은…
그럼
계산을
해 봐.

네가 구해야 할
사람은 누구지?

제독님.

…더 많은…
사람들.

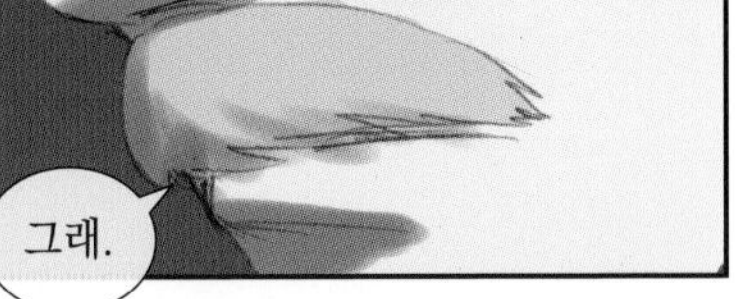
그래.

앤…
네가 둥지를 타격해서
구할 수 있는 사람이
지금 죽는 사람보다
훨씬 많으리라
믿어 의심치 않고
…!
우리 모두
목숨을 건 도박을
한 셈이야.

그러니까…
망설이지 마.
날 걱정해
주는 거라면
기쁘긴 하지만…

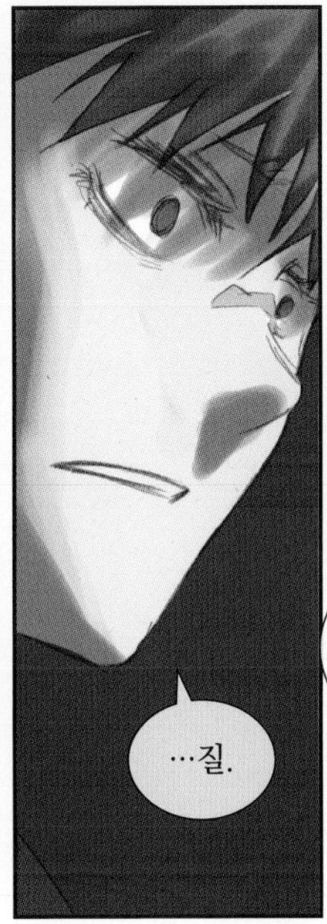
…질.

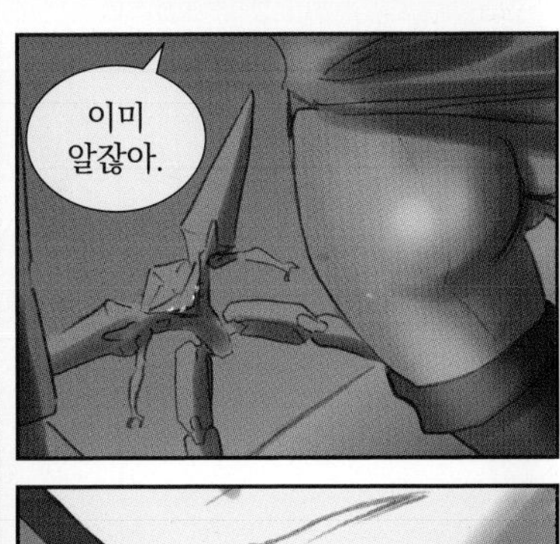
이미
알잖아.

무엇을 지켜야
하는지…
착각하지 마.

알랜의
복수를 하고
싶었는데…

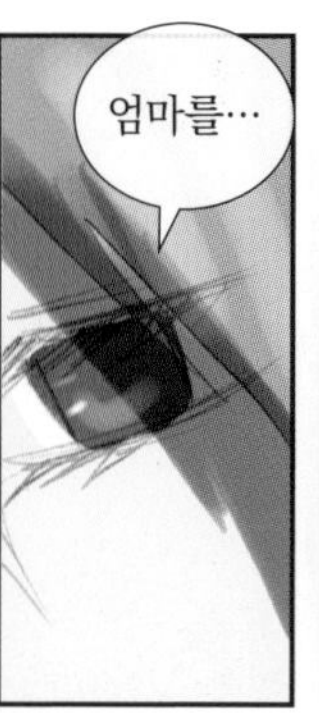
엄마를…

구하고
싶었는데…

난 약해서
복수도, 구하는 것도 남에게 맡길 수밖에 없어.

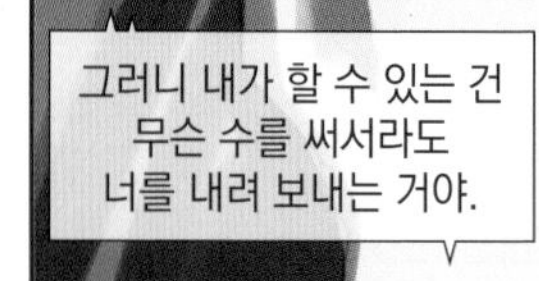
그러니 내가 할 수 있는 건 무슨 수를 써서라도 너를 내려 보내는 거야.

넌 할 수 있잖아.

네가
아니면…

안 되니까…

기함 격침!!
호위 함대는 전부
무너졌습니다.
모두 널 믿고 있어.

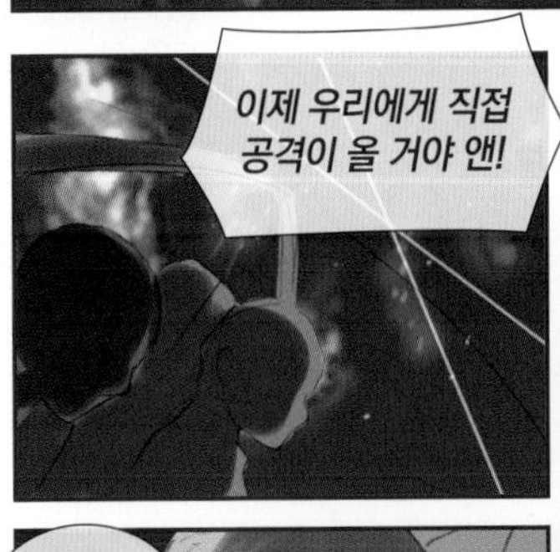
이제 우리에게 직접
공격이 올 거야 앤!

그래.
수고했다…

콰아
자기 생명을
불에 태워서라도

기사님
잘 가쇼.
제독,
먼저 갑니다.

인류를 향한 희망의
불을 지피는 거야.

정말 미안해 앤.
또다시 이런 짐을
지게 해서…

하지만
부탁이야…
모두를…
지켜 줘……

치사해 질…
그런 건…

그리고…

부디 나를
기억해 줘.

Signal out

치익

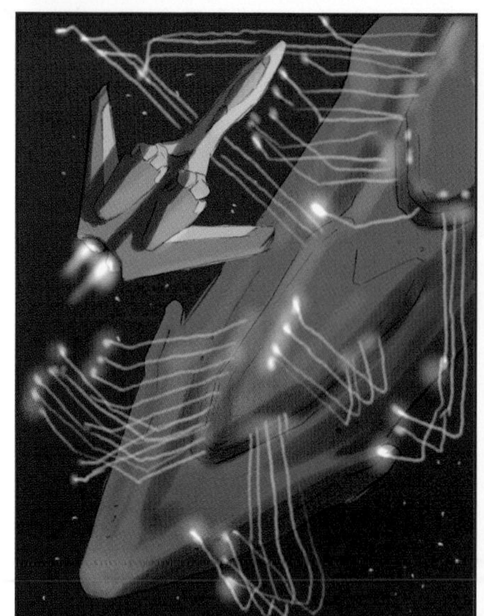

아 진짜…

그래
한번 해 보자
이거야!!

투바바바바바바

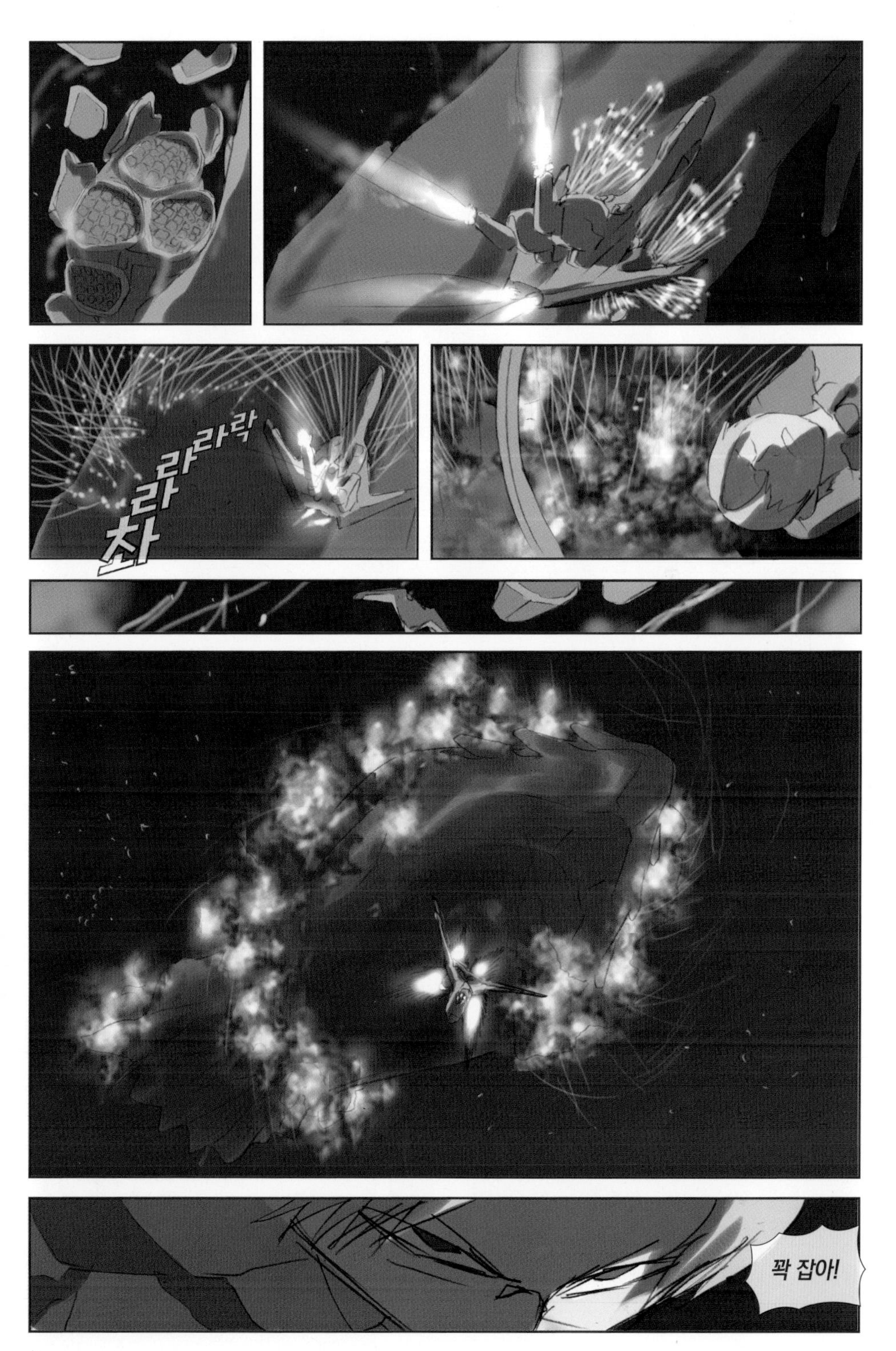
차라라라락
꽉 잡아!

콰앙

쿠
촤
악

카
카
카

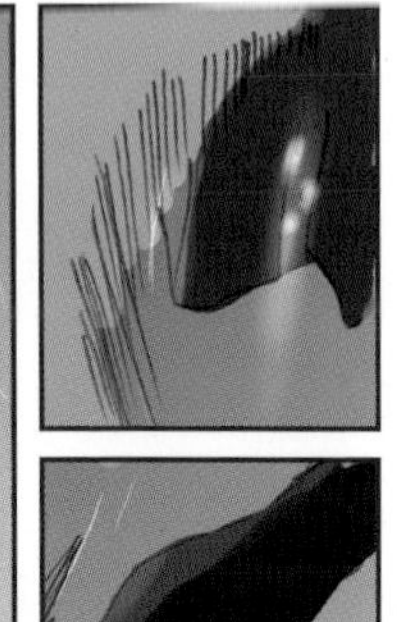

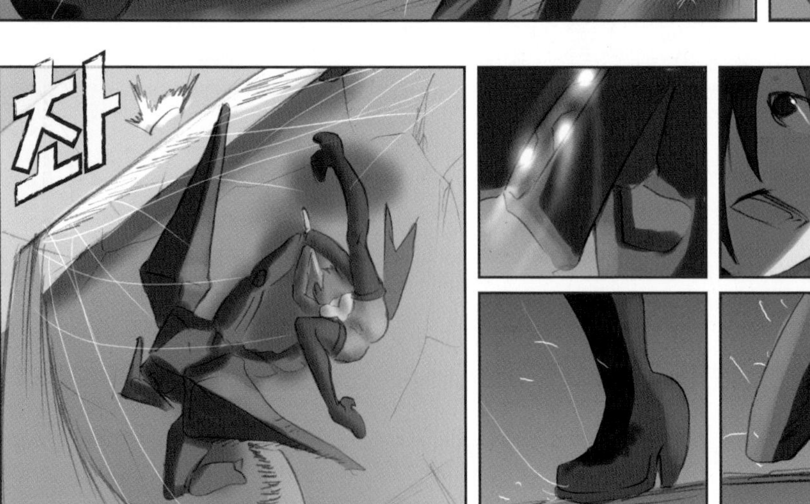
찬

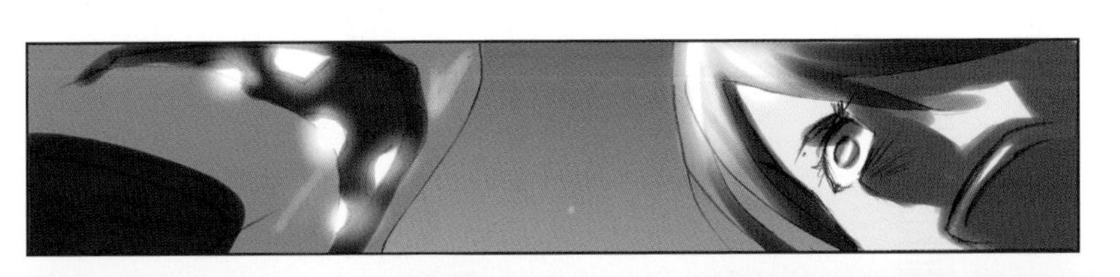

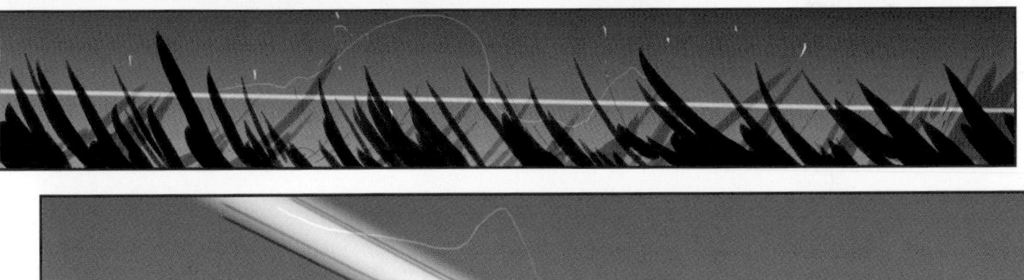

마이어
같이 가.
질.
프레이는?
반성실.
또 한 건
저질렀어.
그보다
아프지?
미안해.
대신
사과할게.
신경 쓰지 마.
억척스럽기로 유명한
맥켈런가의
딸이니까.
내기 너무
들이댄 게
잘못이지…
고양이 같다니까
프레이는…
뭐 그래서
귀엽지만.
귀여운 게 다
얼어 죽었냐?
그래도 요즘은
킥은 안 날려.
이건 분명
나에 대한
호감도가
상승한 거라고.
질이 너무
고마워.
덕분에 그 녀석
조금씩이나마
타인을 대하는 법을
배우고 있는 것
같아…
…헤헤.
뭐 난 두 사람
다 좋아하니까.
뺨은 좀
아프지만…
하하…

그때는
즐거웠는데…

뭐야…
나도 하면
되잖아.

플랜트
추락 궤도
진입 성공.
알키오네 분리!
콜로니에
탈출 권고해!
늦었습니다!

마지막
특수탄이다.
적들이
콜로니로
몰려갔으니
해 볼만 해.
꽉 잡아.
잘하면 땅으로 떨궈서
지상의 플랜트 지대까지
피해를 입힐 수
있을지도 몰라.

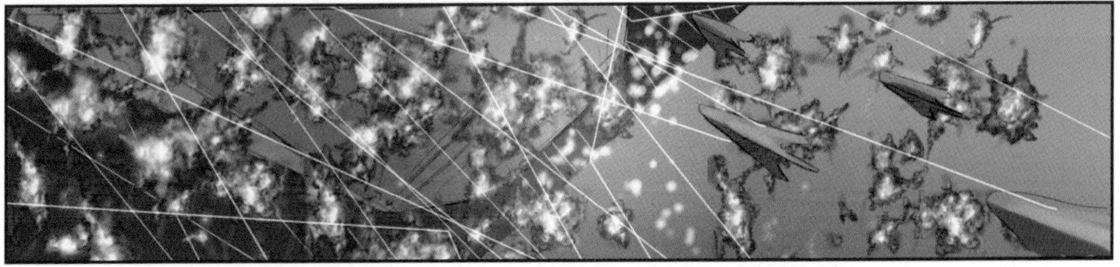

아린의 하늘.

와 뭐가 막
떨어지는데?
유성이야
유성!!
유성은 무슨.
우리 편 함선
추락하는 걸지도
몰라.
왜?
소원이라도
빌게?

…난
빌어 볼래.
나도…
살아서
여기서 나가게
해 주세요.
난 여자친구를…
꽤 먼 거리인데
저렇게 밝다니…
큰 거네요.

부인도 한번
빌어보는 게
어때요?
아뇨 전…

아니…

빌어 볼게요.

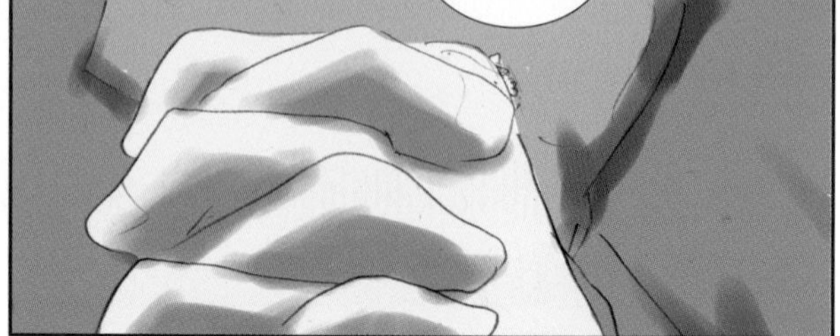

돌아왔어
엄마.

우리 아이들이
무사하게 해 주세요.

part 39. 소원 |끝|

part 40

탈출…
확인되지
않습니다.

콜로니가
대기권에
진입합니다.

……
작전 종료.
다음 작전을
준비한다.

12코핀 시스템은
목표 궤도에
방출 성공.
스텔스 성능 덕에
요격당하지는 않겠지만
뭐 하는 물건이야?

크
이대로 내려가면
괴수 천지야.
엔진 감속한다.

이 궤도
엘리베이터는
괴수가 자원 수송에
쓰고 있다고
들었어.

가까이
붙어서 가면
함포급 빔에
통구이될
일은 없겠지.
인간 시설을
이용하는 괴수라니…
도대체 뭐야
이놈들은…

어쨌든 드디어
도착했군.
아린에.

?!
기영 확인!

쳇!
상위괴수가
지키고 있었나?
타입 불명
상위괴수
2기!!
다수의 플로터와
소형정으로 이루어진
방어 병력이다!!

기동형 기체다!
엘리베이터를
방패 삼아 싸우지는
못하겠어!

001001010
티각

인식.
캐노피 오픈.
텅
우와아아악!!!
무슨 짓이야!!
해킹하지
말라고 했지!!

게다가 빠르다!
잡히겠어!!

가죠.
당할 수는
없잖아요.

윽.

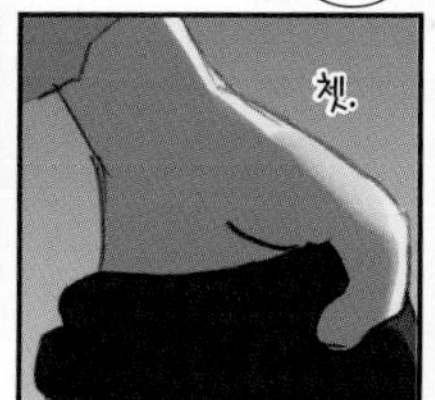
칫.

공중전은
내 특기가
아닌데…
좀 너무
높은데…

꽉
잡으세요.

토르제
대괴수탄 6번.
한 발이 전차 값이야.
다 명중시켜.

킹
웅
퍽

실드 전개.

마스터를
심하게
부리는군.

6번 탄은
6발이 전부.
적이 치고
빠지고 있어
실드를 연달아
깨기는 힘들고
기동성을 확보하지
못하면 우리 실드의
내구성에 한계가
올 겁니다.
으…
어떻게든
빈틈을 만들어
보겠다.

던집니다.

반성은
나중에
할게요.

휘리릭

척
킹

투투
투투투
명중.
적
추락합니다.
야 이
미친놈들아!!
상위괴수를
막아 내다니
저 인형…
으아아아!!
…무사하십니까?
아니.

…
질은…
탈출했을까?
가능성은
낮습니다.

콜로니가
괴수의 주요 플랜트
지구에 떨어진다면…
그 희생은 보답받는
걸까요?
죽는 마당에
보답이 무슨
의미가 있겠어.
그냥 죽고
죽이는 싸움일
뿐이야.
하지만
괴수의 생산 러쉬는
한풀 꺾일 거야.
헛된 희생이라고
생각하고 싶지는
않아.

…저걸 막을
방법은 없…
?!
…노심
반응?!
…A…
클래스…?!
무슨…
쿠

푸학

기잉

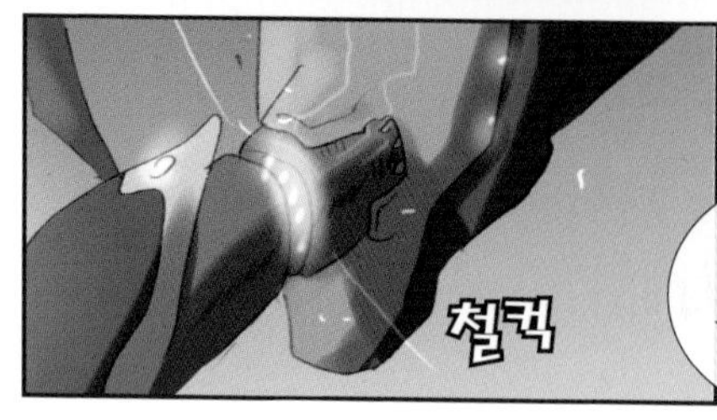
철컥

제2영식…
블루비틀…

제2영식 블루비틀
第二零式 Blue Beetle

제 1종 대요새무장 7식 중력포
第 一種 對要塞武裝 七式 重力砲

우
웅

ㅋ
ㅜ

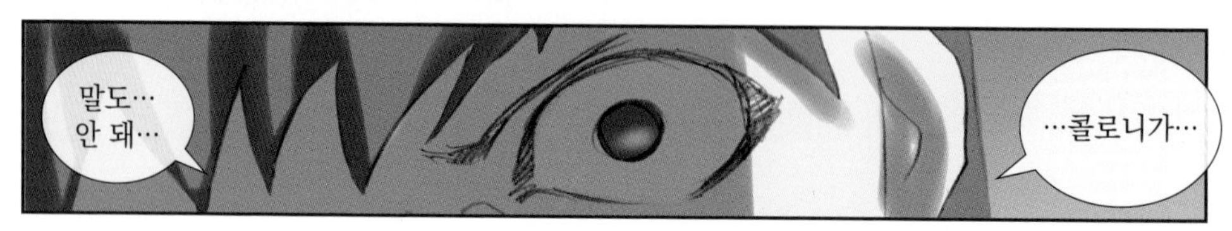
말도…
안 돼…
…콜로니가…

킹
제길
무슨 일이야?!
여기서
벗어난다!!
앤 들어와!!

공중전. 불리.
위치. 불리. 불리. 불리.

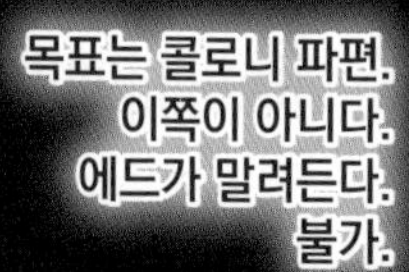

경험이… 온몸이 외친다.

뽑으면

하아…
하아…

마스터…

하아…
하아…

…뽑지 못했어.

어쩔 수 없었어요…

들어와… 살아 있는 것만도 기적이야 앤.

빌어먹을…

너무 많은 죽음을 짊어졌는데…

아무것도 할 수 없어…

적을 베는 것도…

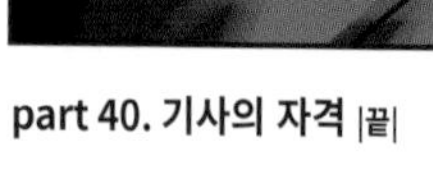

part 40. 기사의 자격 |끝|

5권에 계속